# MÉMOIRES D'UN HOMME DE MÉNAGE EN TERRITOIRE ENNEMI

roman

**Données de catalogage avant publication (Canada)**

Gray, Robert, 1948-

    Mémoires d'un homme de ménage en territoire ennemi

    ISBN: 2-89031-319-0

    I. Titre

PS8563.R414M45 1998            C843'.54          C98-940700-4
PS9563.R414M45 1998
PQ3919.2.G72M45 1998

La réalisation de cet ouvrage a été rendue possible grâce à des subventions du minis-
tère de la Culture et des Communications du Québec, du Conseil des Arts du Canada
et du Patrimoine canadien (PADIÉ).

Mise en pages : Constance Havard
Maquette de la couverture : Raymond Martin

Distribution :

**Canada**
Diffusion Prologue
1650, boul. Louis-Bertrand
Boisbriand (Québec)
J7E 4H4
Tél. : (514) 434-0306
Téléc. : (514) 434-2627

**Europe francophone**
Librairie du Québec / D.E.Q.
30, rue Gay Lussac
75005 Paris
France
Tél. : (1) 43 54 49 02
Téléc. : (1) 43 54 39 15

Dépôt légal : B.N.Q. et B.N.C., 3ᵉ trimestre 1998
ISBN : 2-89031-319-0
Imprimé au Canada

Sir Robert Gray

# MÉMOIRES D'UN HOMME DE MÉNAGE EN TERRITOIRE ENNEMI

roman

Triptyque

Toute ressemblance avec des personnes vivantes et connues est tout à fait fortuite et sûrement fort malencontreuse. L'auteur s'en excuse.

*Ces mémoires sont dédiés*
*à mon grand-père spirituel,*
*Louis-Ferdinand Céline*

# CHAPITRE 1

# Comment, mon Dieu,
# suis-je tombé si bas?

Je suis né riche, anglophone, à Rockliffe Park dans la banlieue cossue d'Ottawa, entre la résidence de l'Ambassadeur de l'Argentine et celle de l'Ambassadeur du Pérou, en face de la résidence du Nonce apostolique. Quarante-huit ans plus tard, je me retrouve pauvre, francophone, et j'habite à Montréal, dans le Village, un quatre et demie meublé entièrement à la Saint-Vincent-de Paul juste au coin de la rue qui voit, l'été, monter au Parc tous les garçons qui échangent leurs attraits pour une très minime rançon.

Né d'une mère française qui ne m'a jamais adressé la parole, j'ai grandi à l'ombre d'un père oxfordien, ce qui explique pourquoi je m'exprime plus facilement en anglais. Mon français, qui n'est pas si mal quand même, je l'ai peaufiné à la petite enfance chez mon arrière-grand-père, les étés au Havre, et à l'adolescence quand mon père, en poste à New York, a décidé de m'éloigner de ma mère qui ne pouvait plus me supporter et de me mettre en pension dans un collège ici, à Montréal, pour y faire les trois dernières années du cours classique. Jusqu'à ce que je rencontre David, le français n'était pas une langue que je parlais tous les jours.

Pour la première fois de ma vie, c'est la seule que je parle maintenant à la maison. David ne connaît pas un traître mot d'anglais, ce qui m'a donné d'horribles maux de tête au cours de la première année, et tous mes copains des jours meilleurs ont quitté Montréal il y a long-temps, en 1980. Mon père, lui, est décédé il y a dix ans cette année. Il ne me reste plus personne. Il n'y a qu'avec mes clients à présent avec qui je peux parler anglais un peu. Et la télé quand David n'est pas à la maison, ce qui est rare, et la lecture, mais il n'aime pas que je lise au lit avant de dormir, alors il me reste le métro et l'autobus comme refuge où je peux dévorer, pendant les vingt ou trente minutes du trajet qui m'amène au travail à Westmount ou NDG, tous les Elizabeth Taylor, Barbara Pym, Christopher Ishewrwood et E.F. Benson qui me tombent sous la main ces jours-ci.

Moi aussi, en 1981, j'avais quitté pour aller m'installer à Vancouver. J'y suis resté quatre ans. Mais quand M. Morton, mon professeur de piano, m'a dit: M. Burroughs, je vous ai tout enseigné ce que je sais, j'ai trouvé Vancouver bien ennuyeux tout d'un coup. Je déteste Toronto et New York était hors de prix. Quant à la France – j'ai mon passeport français –, il n'en était absolument pas question, je ne peux pas supporter les Français.

Finalement, je me suis aperçu que La Vieille Europe sur le boulevard Saint-Laurent me manquait terriblement et je me suis dit que, malgré tout, Montréal était la seule ville au Canada où je voulais vraiment vivre. Je suis donc rentré au pays en 1985 avec la ferme intention de devenir un petit francophone.

J'ai trouvé un joli studio sur l'avenue du Parc-La Fontaine. Fini l'ouest de la ville, la rue Lincoln et le Faubourg Sainte-Catherine. Fini aussi l'Université McGill et l'Université Concordia; et je me suis trouvé un travail au Y, un organisme bilingue, ce qui était mieux que rien.

Et petit à petit je me suis mis à vivre de plus en plus en français. Je supportais mal d'entendre à nouveau le discours anglo-montréalais. C'était le même que j'avais toujours entendu, mais je l'entendais avec des oreilles neuves qui sillaient de plus en plus maintenant quand elles entendaient le mot *frogs*.

Au tout début, mes anciennes copines Patty and Ginny, Ron and Michael, mon ancien amant Parker et les autres aussi dont j'ai oublié les noms maintenant me manquaient beaucoup. Sauf Lee. Je ne cessais, ces premiers mois, de penser à eux. C'était très mauvais mais c'était comme ça. Je me rappelais le bon vieux temps au Prague et au Limelight, les nuits du Studio 1 où nous buvions du sperme d'ange, quelque chose avec de la crème évidemment, nos samedis après-midi chez Tovan ou chez Ogilvy's à prendre le thé avec le Blue Rinse Set, comme nous appelions ces vieilles dames qui se teignaient les cheveux en bleu. Aujourd'hui, je les appelle les vieilles maudites Anglaises de Westmount.

Je me suis rappelé aussi comment nous n'avions jamais osé traverser à l'est de la Main et toutes ces horreurs que nous nous racontions sur ce qui nous attendait dans les cafés de la rue Saint-Denis si nous nous étions avisés d'y parler anglais. Nous n'y étions jamais allés et aujourd'hui je vivais encore plus à l'est.

D'autres bribes de souvenirs me remontaient, comme la première fois où Ron and Michael étaient allés baiser chez un petit French Canadian de l'East End of Montreal. En fait, ce jeune Adonis habitait sur la rue Saint-Hubert au coin de Duluth. Et après nous avoir décrit l'intérieur de ce garçon, comment nous avions convenu que vraiment ces Frenchies n'avaient aucun goût. Et les conversations que nous avions Parker et moi le jeudi soir au Peel Pub, après le shopping, avec ses amis sur les grosses queues non circoncises des Canadiens français. En catimini nous disions d'eux que c'étaient tous des étalons et qu'ils baisaient comme des bêtes. On se serait cru dans une scène de *Lady Chatterley's Lover*, mais en version canadienne gaie. J'en rougis maintenant.

Nous parlions toujours entre nous d'eux comme s'ils étaient d'une race inférieure à la nôtre. Nous les jugions sans culture et sans intérêt autre que pour une baise occasionnelle supercochonne. Ils nous ennuyaient. Nous ne connaissions ni leur musique, ni leur théâtre, ni leur cinéma, ni leur télévision, nous ne connaissions rien d'eux. Et c'est encore la même chose. Mes clientes ne connaissent ni Jarmo, ni Beannette Jertrand, ni même Richelle Michard, elle surtout qui a fait tant d'efforts pour qu'on parle d'elle, et elles s'en fichent.

Et quand la vie nous jetait sur eux, nous leur adressions toujours la parole comme à des demeurés. À la rigueur, nous les trouvions mignons, au sens folklorique du terme.

Au fur et à mesure que ces souvenirs me remontaient, j'avais de plus en plus honte. Comment avais-je pu dire, non, encore pire, penser ces choses?

C'est sûr que mon éducation ne m'avait pas beaucoup aidé. À la maison, les Canadiens français étaient nos domestiques. Leur français était atroce. Ils étaient pauvres et avaient très peu de savoir-vivre. Il ne fallait pas leur en tenir rigueur. Il fallait toujours être gentils avec eux, mais il ne fallait pas être familiers. Il fallait savoir garder notre place et ils sauraient garder la leur. Il fallait toujours être polis et leur sourire le plus possible.

À Noël, à la Nouvelle Année, aux autres fêtes, aux anniversaires, papa leur remettait toujours une carte avec de l'argent dedans, le tout dans une enveloppe cachetée évidemment. Je le sais parce qu'une fois j'ai vu Hélène, notre femme de ménage, ouvrir la sienne; elle ne m'avait pas vu, et il y avait cinq ou dix dollars dans la carte, je ne me rappelle plus et elle avait fait oh et un grand sourire. Quand nous avions des visiteurs aussi, ou que mes parents donnaient un dîner ou une soirée, il y avait toujours une enveloppe pour chacun des domestiques.

Quand mon père m'avait envoyé au collège à Montréal pour me soustraire à l'indifférence de plus en plus violente de ma mère, il m'avait fait la recommandation de ne pas trop m'acoquiner avec mes camarades de classe. Il m'envoyait dans ce collège, m'avait-il dit, simplement pour parfaire mon français, maintenant que mon arrière-grand-père était décédé, et je ne devais pas imiter leur accent vulgaire mais garder celui que j'avais appris et que mes professeurs allaient améliorer.

Il n'avait pas à s'inquiéter, pauvre papa. Je ne me suis lié avec aucun de mes camarades de classe. Je n'avais avec eux aucune affinité et c'était réciproque. Leurs chansonniers m'ennuyaient à mourir et mes disques R&B les laissaient complètement indifférents. Le simple fait que je venais de New York me mettait à l'écart de leur petit monde, que je trouvais effectivement bien petit. Et je n'avais pas beaucoup de temps à leur consacrer non plus. L'éducation que j'avais reçue à l'École internationale des Nations unies était exceptionnelle, mais en français, j'avais beaucoup de rattrapage à faire. Je l'ai tellement bien fait qu'au premier trimestre, j'ai fini premier de ma classe, position que je n'ai pas laissée m'échapper jusqu'à la fin de mes études dans cette vénérable institution. Les premiers de classe n'ont jamais été populaires.

C'était peut-être pour ça aussi que les autres garçons ne s'intéressaient pas à moi. En plus, mon père s'était assuré que je serais logé dans une chambre pour moi seul. De tous les étudiants pensionnaires au collège, j'étais effectivement le seul à rester les week-ends. Mon père avait donc voulu que je sois le plus à l'aise possible et, pour ce faire, j'avais eu le droit d'aménager un peu plus que les autres ma toute petite chambrette: bibliothèque là où il aurait dû y avoir le lit de mon camarade de chambre, phono et radio, ce qui était interdit pour les autres, bouilloire pour que je puisse me faire du thé ou du café, un minuscule frigo pour storer le lait et quelques autres items pour me faire des tartines.

Mon père envoyait aussi tous les mois un montant au directeur du pensionnat qui, chaque vendredi après-midi, m'en remettait une partie pour payer mes dépenses du week-end: le resto (la cafétéria était fermée), un film et un peu plus des fois pour aller rendre visite à mon oncle Andy, le frère de mon père qui habitait toujours Ottawa.

C'est à cette époque, loin des tensions familiales, que j'ai commencé à faire des rêves mouillés. Je ne me rappelle plus à quoi au juste je rêvais, mais je me rappelle que je me réveillais tout détrempé au milieu de la nuit. J'avais vaguement eu des érections avant mais je n'avais pas eu encore le loisir de les explorer. Le combat que j'avais dû livrer à mes parents avait occupé de jour toutes mes énergies de survie. Le soir, il ne me restait plus rien, j'étais vidé, et la nuit il me fallait refaire le plein pour le lendemain. C'est pourquoi ma vie sexuelle a commencé si tard.

Il me faudra encore quelques mois pour découvrir accidentellement la masturbation un samedi matin en prenant ma douche. Seul comme tous les week-ends, j'ai eu le temps de me savonner jusqu'à mon premier vrai orgasme. Peut-être qu'inconsciemment les autres garçons avaient senti que j'avais avec eux cette autre différence aussi. Parce que je me rappelle distinctement qu'après cette copieuse première décharge, je me suis senti soulagé, comme si j'étais devenu tout d'un coup finalement un peu plus normal. À mon grand étonnement.

Il y avait des années que je savais que je ne le serais jamais tout à fait.

J'ai su très jeune, à deux ans je crois, que ma mère me détestait. Je ne comprenais pas pourquoi et je n'en suis pas tout à fait sûr aujourd'hui non plus. Mais je savais que ce n'était pas normal qu'elle ne m'adresse jamais la parole, qu'elle ne me touche jamais, qu'elle ne m'embrasse jamais le soir avant que j'aille me coucher, qu'elle ne me prenne jamais dans ses bras. Mon père, lui, le faisait. Je ne vivais que pour lui. Je l'adorais et il me le rendait bien. Jusqu'à l'âge de neuf ans.

En 1957, Diefenbaker a été élu premier ministre du Canada et mon père a perdu sa compagnie. Il y a un lien entre les deux, une histoire de restriction de crédit bancaire imposée par le vieux bouledogue, mais mon père ne m'en a jamais vraiment raconté les détails. C'était un des sujets tabous entre nous. Un jour, j'avais neuf ans, je suis rentré après l'école et notre belle grande maison de Rockliffe Park avait été vidée de tout son contenu. Je n'avais même plus de lit pour dormir. Ma mère n'était pas là, elle ne réapparaîtrait que deux ans plus tard quand mon père aura obtenu son poste aux Nations unies.

C'était l'automne et, tant bien que mal, lui et moi campions dans cette immense maison en attendant qu'il lui trouve un acheteur. Mon père buvait beaucoup. Il avait toujours adoré un verre ou deux de scotch avant le dîner, mais maintenant c'était deux, trois verres avant que je ne parte pour l'école. Il ne se rasait plus très souvent non plus. J'étais inquiet. Un samedi matin, je me préparais à aller rejoindre mes petits copains au parc pour une partie de je ne sais plus trop quoi, et j'étais dans le garage pour prendre ma bicyclette quand mon père arrive derrière moi et me demande de ramasser les feuilles mortes dans la cour. Je lui dis que je le ferai en rentrant cet après-midi, il me dit: non, tu le fais tout de suite et je lui réponds: mais papa, je te le jure, je le ferai aussitôt que je reviendrai. Sans avertissement, il prend la première chose qui lui tombe sous la main et commence à me frapper. Je lève les bras pour me protéger. Il crie *you fucking little bastard, are you going to listen to me or not* et je lui réponds *no, no, daddy*, je voulais dire *no, no, daddy don't hit me*. J'ai juste eu le temps de m'apercevoir qu'il me frappait avec la pelle en fonte avant de m'évanouir. Je ne m'en suis jamais remis.

Quand je me suis réveillé à l'hôpital, je savais que ma vie venait de basculer pour de bon. Dans ces années-là, les parents qui battaient leurs enfants disaient en les amenant à l'hôpital que le petit était tombé dans les escaliers. C'est ce que mon père a dit.

Plus tard, au cours de l'hiver, je me rappelle qu'il faisait très froid. Je me suis assis à la table à cartes que mon père avait trouvée oubliée dans le fond d'une garde-robe avec les quatre chaises pliantes qu'il avait installées dans la cuisine, et quand il m'a versé un bol de Rice Krispies, j'ai eu le malheur de soupirer. J'avais espéré au moins un bol de soupe chaude. Mon père m'a entendu et s'est mis à hurler *if you don't like it, go to your room, come on now, go to your room right now, there are children in this world who have nothing to eat.* J'ai haussé les épaules et c'est à ce moment qu'il a levé une des chaises pour me frapper. Cette fois-là, il m'a frappé par derrière et le métal de la chaise m'a ouvert le crâne. J'ai été six heures dans la salle d'opération.

Ce sont les deux pires incidents. Les autres fois, je m'en suis sorti avec des bleus ou des membres cassés. Mon père m'a battu régulièrement pendant deux ans, les deux ans pendant lesquels ma mère a disparu de nos vies, puis quand elle est revenue, il a changé de vitesse et se contentait le plus souvent seulement de hurler après moi en m'insultant et en m'injuriant. À partir du moment où il m'a envoyé à Montréal, il ne m'a plus jamais retouché. Même pas pour me passer la main dans les cheveux.

Après, toute ma vie en sera restée une de survie, au sens strict du terme, et c'est pour ça, j'imagine, que je n'ai jamais même pensé prendre le temps de m'arrêter et de faire un plan de carrière. En mode survie, on apprend vite qu'on ne contrôle pas grand-chose et qu'il vaut mieux faire avec. C'est ce que j'ai fait toute ma vie.

À New York, c'est par accident que je suis devenu pute et que je me suis fait entretenir par un *sugar* qui m'a fait vivre jusqu'à ce qu'il meure. À la fin de mes études de maîtrise, j'ai été traducteur aux Affaires extérieures à Ottawa, mais sans effort, parce qu'on était venu me chercher. C'étaient les bonnes années. Un peu plus tard, pour la même raison, j'ai travaillé dans deux universités montréalaises, simplement en leur envoyant mon C.V. accompagné d'une lettre d'introduction. À Paris, j'ai été tourneur de pages le temps d'un été pour un claveciniste de réputation internationale avec qui j'ai eu une très brève et très orageuse liaison. Et à mon retour de Vancouver, j'ai pris les deux premiers musiciens qui ont répondu à mon annonce dans le *Mirror* et j'ai formé un petit trio de jazz qui a fait une petite sensation au Festival en 1986 quand un journaliste américain a parlé dithyrambiquement de nous, par accident, parce que le concert qu'il devait aller écouter avait été annulé. C'est dommage parce qu'on ne peut pas vivre de jazz, pas à Montréal en tout cas, ce qui est ironique pour la ville qui offre le plus grand festival de jazz au monde.

Mais homme de ménage, c'est à peu près, je crois, le plus bas que je sois jamais descendu.

## CHAPITRE 2

# Ma descente aux enfers

Un jour, une de mes clientes, je ne me rappelle plus laquelle, probablement Mme Z, m'a fait la remarque avec un sourire en coin qu'elle avait fait le commentaire à des connaissances qu'il était étonnant qu'un homme de ma trempe se retrouve aujourd'hui homme de ménage, dans quel monde vivons-nous? Le couteau dans la plaie jusqu'au manche. La vache.

Je chantonne toujours beaucoup quand je suis seul. Une vieille habitude. Un autre jour, Mme G, en rentrant à la maison, m'a entendu pendant que je nettoyais la douche crassée de son hippopotame de mari au sous-sol, et quand je suis remonté elle m'a dit: c'est tellement agréable d'entendre les gens chanter comme ça quand ils travaillent. Oui, comme les esclaves dans les plantations, ça devait être exquis de les entendre au loin dans les champs, que je lui ai répondu. Du tac au tac, ce qui est rare pour moi, et le visage de Mme G est resté figé dans un sourire tout jaune.

Ma descente dans cet enfer ne s'est pas faite en ligne droite. Comme je l'ai dit à une autre cliente à un moment donné, à six ans, Madame, je ne rêvais pas de devenir homme de ménage.

C'est en thérapie, quand j'ai cherché à comprendre, que j'ai réalisé que ma survie dans cet univers était trop vite devenue mon unique préoccupation. À neuf ans déjà, je ne pouvais plus me permettre de rêvasser, l'essentiel de ma vie consistait prioritairement à chercher à survivre. Les jeux m'étaient dangereux parce qu'un seul moment d'inattention pouvait vouloir dire un coup et un autre long séjour à l'hôpital ou pire, parce que le pire était toujours là en puissance derrière moi, terré quelque part. Et il me fallait pouvoir le détecter par tous les moyens que j'avais développés de peine et de misère pour lui échapper. Il me fallait être sur un qui-vive constant. Lire dans chaque regard la pensée qui l'habitait, localiser le moindre craquement de plancher, interpréter chaque geste même s'il semblait à première vue anodin, humer le plus petit changement d'humeur et surtout me fier au goût de métal qui me montait dans la bouche, l'infaillible prémonition d'un grave danger. Il me fallait constamment décoder, rien ne devait me distraire. Puis toujours, prévoir tous les refuges possibles pour échapper au massacre. Par n'importe quel moyen.

Aujourd'hui encore, si quelqu'un se retourne brusquement vers moi un couteau à la main, je m'évanouis. C'était mon dernier recours, mon asile ultime. Ça ne changera pas. Comme flairer immédiatement une possibilité de péril. Une fois, dans une entrevue, je ne me rappelle plus où, il y a une femme et un homme, la femme, ça va, mais l'homme est archi-antipathique, sa première question est imbécile mais j'y réponds, sa deuxième est méprisante et j'y réponds quand même aussi, sa troisième est carrément agressive, alors je lui demande: vous serez mon patron? Il me répond un oui dédaigneux. Je me lève et m'approche de leur table. J'aimerais que vous me redonniez mon C.V. s'il vous plaît. Je ne veux pas travailler pour vous. Ils sont sidérés. Je me penche pour prendre mon dû et je quitte les lieux. Question de survie.

Après avoir terminé haut la main mes études de maîtrise, comme je l'ai déjà dit, j'ai immédiatement commencé à travailler comme traducteur aux Affaires extérieures. J'étais retourné dans ma ville natale pour y faire mes études universitaires un peu par nostalgie et je n'ai aucun mérite vraiment parce que les langues, pour moi, c'est comme nager pour certains. Comme la vie m'avait laissé peu de loisirs pour l'explorer, je me suis développé dans le domaine qui me demandait le moins d'efforts et dans lequel j'excellais par talent naturel.

Mais je ne suis pas resté aux Affaires extérieures après mes deux ans de contrat. Je n'avais pas l'énergie de mes collègues qui jour après jour devant ces textes insignifiants arrivaient à trouver, face à ce défi d'ennui monumental, une source de stimulation que je n'avais tout simplement pas en réserve. J'ai donc préféré partir de moi-même, au grand soulagement de mon patron d'ailleurs.

Ce n'est pas facile, quand on est handicapé, de trouver sa place dans ce monde de merde. Je suis reparti à New York. Et tard un soir que je rentrais chez moi, par accident, j'ai fait le commerce de mon corps avec un monsieur qui avait commis une méprise et m'avait offert 50 $ pour me laisser lécher les pieds. J'ai vécu comme ça pendant presque un an, sur la Troisième Avenue au coin de la Cinquante-septième Rue et, un soir, Bill m'a approché et m'a gardé pour lui et ses copains jusqu'à ce qu'il meure un matin, assis à côté de moi, étouffé en fumant une cigarette. J'ai vite déguerpi avec tout l'argent que j'avais trouvé dans l'apparte et je suis rentré à Montréal, totalement incognito parce que j'avais travaillé à New York sous le nom fictif de Denham.

Je n'ai jamais connu ici le succès que j'ai connu là-bas. Je ne sais pas pourquoi. J'avais même fait des photos nues pour un ami de Bill qui m'avait donné 800 $ et qui se sont retrouvées dans presque tous les magazines gais de l'époque; *Blue Boy*, entre autres, m'avait surnommé le All Canadian Boy. Je ressemble beaucoup à ce joueur de football britannique, Eric quelque chose, c'est David qui me l'a fait remarquer, et j'ai un corps trapu, dense, avec de grosses cuisses, de gros mollets et surtout de belles grosses fesses rondes et poilues comme je les aime. J'ai remarqué qu'en vieillissant j'aime mon corps de plus en plus, ce qui est étrange, parce que ça devrait être le contraire, mais je suis Capricorne et les Capricorne font tout à l'envers. À mon retour, donc, j'ai travaillé dans un bain sauna, le Crystal sur Saint-Denis. Mais les clients étaient radins, ils me donnaient seulement dix dollars pour les sucer, moi qui avais été habitué avec les amis de Bill à 100 $ pour faire la planche.

J'en ai vite eu marre. J'ai retrouvé tout à coup le goût chimérique de l'honnêteté et je suis entré au Funambule, café défunt maintenant, pour y solliciter un emploi de garçon que j'ai promptement obtenu. À l'époque, j'avais encore un accent saxon que l'on avait trouvé charmant et j'y ai travaillé un an.

La transition de pute à garçon de café s'était faite sans les heurts que je craignais, et au contraire, l'expertise que j'avais acquise m'aida à mettre dans mon lit régulièrement Michel O., le plus beau et le plus hétéro du bistrot.

Michel, après nos baises qui étaient aussi chastes que celles de deux petits frères, me parlait à cœur ouvert de son père, de sa mère, de ses frères et sœurs, de sa femme, de ses enfants, de ses amis et de ses rêves. Je l'écoutais couché avec lui dans mon lit en sirotant du thé.

À cette époque, je parlais peu. J'étais encore tapi dans ma tanière pour y lécher mes vieilles blessures et j'en sortais le moins possible. Tout contact soutenu avec le monde extérieur m'était encore source de danger et la vigilance que je devais constamment exercer m'épuisait.

Michel O. était le premier depuis les agressions de mon père que je laissais entrer dans ma forteresse et ses paroles me caressaient l'âme. Mes clients du Crystal, Bill et ses amis à New York, Patrick mon premier amant à Ottawa, personne n'avait encore réussi à forcer une brèche dans les murs épais que j'avais construits tout autour de moi. Comme Madeleine de Verchères, personne ne savait ce que j'y cachais. Ils ne voyaient que les sourires et les quelques blablabla que je pavanais sur des piques au-dessus de mes fortifications pour laisser croire que tout allait bien.

Peu après mon arrivée au Funambule, Michel O. a commencé à venir me rendre visite trois, quatre fois par semaine. Sa femme était enceinte de leur troisième et la grossesse était difficile. Il avait besoin de se soulager et je lui avais offert de l'aider.

Il est arrivé dans ma vie au moment où je n'arrivais plus aussi facilement, à cause de l'âge peut-être, à colmater les lézardes qui effritaient les murs de mon château fort.

La poudrière dans laquelle j'avais enfermé toute ma rage tremblait tellement en ces jours-là qu'elle secouait les fondations mêmes de mon blockhaus. C'était un moment dans ma vie où tout risquait d'exploser. À chacune de ses visites, Michel éteignait les incendies que je n'arrivais plus à éteindre par moi-même. Il m'a sauvé la vie.

Puis sa femme a eu son bébé et il n'est plus revenu. J'ai quitté le Funambule pour aller au Santropol.

J'avais besoin de retrouver mon monde. Mais dans ce monde, je ne pouvais rester garçon de café. J'ai fait une demande à McGill et deux semaines plus tard, je travaillais au Registrar's Office.

Puis j'ai rencontré Parker et une trêve s'est installée dans ma vie comme après un long siège.

Parker m'adorait. Je n'ai jamais su pourquoi. Avec lui, tout était simple, il ne posait jamais de questions et je n'avais jamais à lui mentir. Il a tout partagé avec moi: ses tonnes d'amis, son magnifique appartement sur Dr. Penfield avec cheminée et vue de la terrasse sur la montagne, et même sa merveilleuse mère Geneva, de qui je m'ennuie encore aujourd'hui plus que de lui.

Pour Parker, les apparences étaient son seul souci. Que je travaille à McGill comme Registraire adjoint maintenant flattait sa vanité quand il me présentait à ses connaissances. Et quand je lui ai dit que je ne croyais pas à la fidélité, il m'a simplement demandé d'être le plus discret possible.

Parker était facile à vivre. Nous aimions tous les deux lire et baiser avant de nous endormir. Il me plaisait follement physiquement, j'aimais tout de lui, la finesse soyeuse de son pubis blond, la douceur satinée de sa queue, ses gosses imberbes qu'il adorait faire pendre au-dessus de moi pour que je les fasse rouler dans ma bouche, même l'odeur de sa raie quand il n'avait pas eu le temps de se laver. Nous avons baisé ensemble tous les jours tant que j'ai vécu avec lui. Souvent seuls, mais aussi souvent avec d'autres.

J'adorais le regarder baiser avec notre invité. Nous avions surtout des ménages à trois. J'adorais le regarder faire à quelqu'un d'autre ce qu'il me faisait et le regarder se faire faire ce que je lui faisais. J'aimais qu'il mette sa queue dans ma bouche après l'avoir enfournée dans le cratère de notre compagnon de jeu et j'aimais sucer le doigt étranger qui l'avait patiemment pénétré, ce qui était rare parce que Parker n'aimait pas beaucoup qu'on lui joue dans cette partie-là. Une seule fois, avec un jeune étalon qui travaillait au Studio 1, il avait accepté à mon insistance de se faire enculer par cette énorme monture mais quand j'avais vu qu'il n'y prenait aucun plaisir, j'avais renversé la vapeur et le jeune poulain s'était retrouvé à tour de rôle avec nos deux pieux bien enfoncés dans le tréfonds de sa croupe. Quelles soirées nous avons passées ensemble.

J'étais donc retourné vivre dans ce que je croyais encore être mon monde. Sauf que j'y étais revenu, sans m'en rendre compte, grandement altéré. Mon passage sur la rue Saint-Denis m'avait transformé beaucoup plus que je ne l'avais cru au début. Et c'est seulement au contact de Parker et de ses amis que je m'en suis aperçu.

J'ai laissé Parker et McGill en même temps, pour Lee qui arrivait de Toronto avec ses cheveux blond-blanc et Concordia qui m'offrait le poste de Registraire en chef. J'ai rencontré Lee à un moment de ma vie où je remettais tout en question et je l'ai laissé entrer en moi sans me méfier. J'étais fasciné par son sabre recourbé et je ne voyais rien d'autre. Une fois à l'intérieur de mon enceinte, avec sa drogue et son alcool, Lee a mis peu de temps à mettre tout à feu et à sang et finalement à faire exploser ma poudrière. Si bien qu'un an plus tard je n'étais plus qu'un amas de ruines. J'ai quitté Concordia.

C'était à la fin de 1980. Presque tout le monde que j'avais connu déguerpissait, et j'ai suivi moi aussi au tout début de 1981. J'ai laissé Lee dans notre appartement de la rue Lincoln et je suis parti étudier à Vancouver. Pendant quatre ans. Et quand je suis revenu à Montréal en 1985, j'ai trouvé un magnifique studio lumineux sur l'avenue du Parc-La Fontaine où je me suis terré pendant deux ans. C'est à cette époque que j'ai eu mon trio de jazz avec le beau Bertrand à la contrebasse et André le ténébreux à la batterie.

Une fois par semaine, je sortais dans un petit bain sauna de la rue Saint-Hubert où j'ai fait équipe avec le beau Serge, un jeune papa qui m'avait trouvé fort sympathique. Serge était comédien de formation mais sans travail et je lui avais tout simplement fait découvrir une autre façon de se donner en spectacle. C'était une pièce de choix. Grand brun de six pieds, légèrement velu, il avait un peu la gueule d'un boxeur parce qu'il avait le nez cassé et des fesses très rebondies posées sur de grosses cuisses bien découpées. Ce qui le rendait très populaire parmi les clients du mardi soir.

La clientèle de ce petit sauna retiré était composée exclusivement de monsieurs d'un certain âge. Et les mardis soirs étaient des soirs plutôt lents. Nous arrivions toujours vers huit heures, des fois lui avant moi, des fois le contraire. Le premier faisait un tour de reconnaissance, prenait une douche et attendait l'autre dans le petit salon à regarder le film porno. Quand le deuxième arrivait, il faisait la même chose. Et la soirée commençait. Serge servait toujours d'appât. Il se mettait à quatre pattes sur la table à café et je commençais à lui taquiner l'asticot. Ce n'était jamais bien long avant que notre premier poisson s'amène. Puis, le deuxième, le troisième, jusqu'à ce que tous les clients présents participent à l'orgie qui durait normalement quelques heures si on compte les pauses pour les douches et les bains turcs, histoire de souffler un peu avant de reprendre de plus belle. Serge venait toujours le dernier, presque toujours dans ma bouche ou sur mon visage et souvent pendant que deux monsieurs retardataires prenaient à fond les mesures de nos entrecuisses avec leurs grosses verges, les siennes toujours beaucoup plus grosses que les miennes. C'est avec lui d'ailleurs que j'ai découvert les plaisirs de me faire étirer l'anneau à sec.

Au cours de ces six dernières années, j'avais réussi tant bien que mal à reconstruire en moi les remparts d'un fortillon et, un jour, pas très longtemps après le Festival de jazz, je me suis senti finalement prêt à ressortir dans la jungle.

Je me suis donc mis à la recherche d'un boulot en français, comme je me l'étais promis. C'est Massimo du Y qui le premier m'a téléphoné. J'allais avoir trente-huit ans dans trois mois. L'entrevue s'est déroulée à merveille et j'ai décroché le poste de Directeur adjoint des Services à la clientèle. Massimo était un ange et, quand je me levais le matin, j'avais hâte d'aller au travail. Je vivais toujours dans une solitude extrême mais j'avais mes plantes, la grosse Giselle, un philodendron énorme que j'avais rapporté de Vancouver en autobus et Phyllis, ma spatiphyllum que j'adorais, et j'habitais toujours au Parc La Fontaine dans un quartier qui me plaisait de plus en plus.

Le poste que j'occupais au Y était bien en deçà des postes que j'avais eus à McGill et à Concordia et je faisais aussi beaucoup moins d'argent, mais à ce moment-là déjà la situation économique avait commencé à se détériorer et les emplois se faisaient de plus en plus rares, surtout pour un homme de mon âge. Je me comptais donc chanceux.

Les années ont passé. Massimo était toujours aussi gentil. Il n'est pas venu chez moi souvent, seulement deux ou trois fois, et c'est moi qui l'avais kidnappé après les parties où sa femme n'était pas venue parce qu'elle était en visite à Toronto. Chaque fois, Massimo était assez saoul pour que le lendemain ou le surlendemain, tous les deux on fasse semblant que rien ne s'était passé. C'est dommage, j'adorais le sucer, il est un des rares d'ailleurs avec qui j'aurais pu le faire aussi souvent et aussi longtemps qu'il l'aurait voulu. Normalement, ça m'ennuie. Mais avec lui, c'était différent. Sa queue et ma bouche étaient faites pour aller ensemble. Et son sperme était épais comme je l'aime et il en venait toujours des quantités industrielles, comme s'il n'était pas venu depuis deux, trois mois. Et l'idée que, dans d'autres lieux et circonstances, ce même liquide avait produit quatre magnifiques bambini m'excitait tellement que je ne pouvais me toucher qu'à la toute fin si je ne voulais pas venir avant lui, ce que je n'aime pas.

Travailler au Y avait aussi une connotation sentimentale toute particulière. C'était dans cette institution que j'avais eu mes premières relations sexuelles avec d'autres hommes. Un jour que Massimo était en congé de maladie et que je m'ennuyais à mourir parce qu'il n'y avait rien à faire, j'étais assis à mon bureau à rêvasser quand j'ai vu un jeune homme d'une beauté assez saisissante passer dans le corridor qui menait à l'ascenseur pour monter aux chambres.

Je me suis précipité hors du bureau pour le suivre mais il avait déjà disparu. J'ai regardé à quels étages l'ascenseur s'arrêterait et quand j'ai vu qu'il ne faisait qu'un seul arrêt au neuvième, je suis monté. À cette époque, le Y logeait encore les hommes et les femmes à des étages différents à partir du huitième. Les familles, elles, étaient hébergées au sixième et au septième. Au troisième, il y avait les salles de classe, et aux autres étages, l'administration de presque tous les programmes communautaires de l'île de Montréal.

Évidemment, je connaissais le building comme le fond de ma poche et j'avais un passe-partout. Il était déjà arrivé que nous ayons eu à travailler très tard et que nous soyons montés à l'heure du souper prendre une douche plutôt que de descendre au gym qui était toujours bondé à cette heure-là. Je suis donc monté en vitesse au neuvième, il n'y avait personne dans le corridor mais les portes de quelques chambres étaient ouvertes. Comme dans le bon vieux temps. Mon cœur s'est mis à battre très fort. J'ai ouvert la porte de la lingerie dans le couloir, j'y suis entré me déshabiller en vitesse, j'ai pris une serviette et mes clés et suis ressorti aussitôt. J'étais déjà superbandé et je me suis caché en tenant ma serviette devant, laissant mes belles grosses fesses prendre l'air et annoncer mes couleurs.

Par les portes entrouvertes, j'avais aperçu un gros monsieur couché tout nu sur le ventre, un vieux monsieur debout dans la fenêtre jouant avec son zizi tout gris et tout mou, deux monsieurs de mon âge, disons, étendus sur leurs lits, un les jambes croisées et en sous-vêtement pas très appétissant et l'autre enroulé dans sa serviette les bras repliés derrière la tête qu'il n'a même pas tournée pour regarder qui passait. Au bout du couloir, la dernière porte à gauche était ouverte sur un jeune Iranien, je l'ai su plus tard, debout devant le miroir de sa commode entièrement nu, vingt ans tout au plus, les fesses et les jambes couvertes de poils frisés comme les Abyssiniens, qui semblait admirer sa queue que je ne pouvais voir. Si je ne trouvais pas mon premier coup de foudre, je reviendrais à ce deuxième. Mais où pouvait-il bien être?

Enfermé à double tour dans sa chambre? S'il vous plaît, mon Dieu, non. Dans les toilettes? Je défonçai presque la porte de ces lieux. Personne. Déception. Je me regarde dans le miroir pour me préparer à ma conquête iranienne quand d'un cubicule quelqu'un prend un morceau de papier de toilette pour s'essuyer. Puis la chasse est tirée, le portillon s'ouvre et, complètement nu tenant sa serviette à la main, sort le garçon que je cherchais, beaucoup moins apollonesque que je ne l'avais entrevu en bas. Il est plus court que moi et, dévêtu, il est plutôt menu. Et imberbe. Par contre, sa touffe blond cendré comme ses cheveux lui donne un certain charme, et quand il me sourit pendant que sa petite queue circoncise commence à se lever pour me saluer, je ne peux résister.

Quand il passe devant moi, je l'arrête, je ne veux pas qu'il aille se doucher tout de suite, je veux sentir sa raie et faire usage de son trou pendant qu'il est encore tout distendu de l'intérieur. Bon, je ne vais pas faire une description complète de tout ce que nous avons fait parce que je ne veux pas qu'on dise un jour, si on les trouve, que ces mémoires ne sont qu'un ramassis de descriptions pornographiques. En plus, le sexe, c'est presque toujours la même chose. Et puis non, je change d'idée. Pour me faire plaisir, je continue. La vie est si courte.

Je l'ai assis sur le bord d'un gros lavabo ancien en émail blanc et je l'ai tout nettoyé de ma langue puis je l'ai enculé royalement et j'avais raison, sa visite sur le bol l'avait complètement distendu. Nous ne sommes pas venus tout de suite. Nous avons changé de position et c'est avec mes mains appuyées sur le même lavabo qu'il m'a chatouillé le renflement par en arrière mais il était petit et je n'arrivais pas à m'écarter assez pour le laisser me pénétrer plus profondément. C'est pendant que j'étais occupé à penser à une position plus avantageuse pour nous deux que la porte s'est ouverte sur nous en flagrant délit et, avant que nous n'ayons eu le temps de nous désengager, le jeune prince iranien laissait tomber sa serviette. J'ai su tout de suite que si ce jeune homme décidait de me planter, je serais soulagé pour quelque temps.

Au début, j'ai pensé qu'il était plus intéressé au jeune Polonais, ce que je trouvais normal. Il s'est donc affairé uniquement à le caresser et il est vite devenu apparent qu'il n'avait qu'une intention, l'enculer, et que c'était à peu près tout. J'ai donc fait le travail de préparation pour lui: j'ai assis à nouveau le jeune homme sur le lavabo puis je l'ai lubrifié du mieux que j'ai pu avec ma salive. La pénétration lui fut quand même douloureuse et, même bien empalé, il grimaçait plus de douleur que de plaisir. Entre-temps, je m'étais mis à genoux derrière le jeune Iranien et je lui avais écarté les fesses, histoire de me rincer l'œil. Dans ces cultures, les hommes n'aiment pas, j'ai remarqué, qu'on leur joue dans cette région-là, pas plus qu'eux n'aiment y descendre. Il a donc repoussé ma main, mais avec beaucoup de subterfuges j'ai réussi à obtenir ce que je voulais. Quand j'ai vu qu'il me repoussait, je me suis glissé entre ses jambes et en me tournant, j'ai commencé à lécher en plein dans l'accouplement. Après quelque temps, j'ai remonté la langue jusqu'à ses testicules couvertes de ce poil tout court et tout frisé. Je ne pouvais pas les prendre dans ma bouche parce qu'il fourrait le jeune Polonais avec une telle violence que je lui aurais fait mal. Je laissais ma langue sortie au maximum et, comme je gardais les yeux bien ouverts, je l'approchais de plus en plus de ma cible. Les deux, trois premières fois où elle lui a effleuré l'anus, il s'est raidi mais il n'a pas mis sa main et n'a pas arrêté son mouvement non plus. Il goûtait fort, très âcre mais j'adorais, comme quand je déguste un fromage de chèvre. Finalement, j'ai joué le tout pour le tout et je lui ai empalé le trou d'un coup si violent qu'il s'est figé net et m'a laissé le déguster presque à satiété. Il était bien immobile et enfoncé dans le jeune Polonais et je me suis permis de lui demander avec mes mains d'écarter ses jambes pour que j'aie meilleur accès. Quand il a ouvert plus grand les pieds, j'en ai profité pour lui écarter de mes mains prêtes les fesses et ce fut presque le festin de Babette. Tout d'un coup, il y a eu commotion et il s'est remis à zigonner violemment. J'ai vaguement entendu un cri. Le jeune Polonais était venu. L'Iranien s'est dégagé et j'ai repris mon souffle.

Deux jambes et un beau petit cul me sont passés par-dessus la tête et je n'ai eu qu'à ouvrir la bouche pour retrouver sur cette queue bandée devant moi le goût de ce petit troufignon que j'avais dégusté quelques minutes avant qu'il ne se fasse labourer sans pitié.

Je ne mettais pas beaucoup d'entrain à sucer mon partenaire, je l'ai dit, ce n'est pas ce que je préfère. Devant mon manque d'ardeur, j'imagine, il me tapa sur l'épaule et me montra le bord du lavabo. Il voulait que je m'y assoie à mon tour. Ce que je fis. Mais à froid et sans préparation, la pénétration n'arrivait pas à se faire. J'aime beaucoup me faire pénétrer à sec, mais pas par de gros organes, ce qui était le cas de mon nouvel ami. Et je ne voulais pas être déchiré, ça n'en vaut pas la peine. Quand j'ai vu qu'il ne mettait pas du sien, un peu de salive ou au moins un ou deux doigts pour m'ouvrir un peu et préparer le chemin, j'ai hoché non de la tête avec mon plus charmant sourire. Il me fit signe de le suivre. Je remis ma serviette et en sortant saluai le jeune Slave dans la douche qui semblait avoir de la difficulté à se remettre de l'assaut qu'il venait de subir.

Je suivis mon hôte jusqu'à sa chambre. Il referma derrière moi la porte que je m'empressai d'entrebâiller. Il ouvrit le tiroir de sa table de chevet et en sortit ce qu'il nous fallait, un petit pot de crème. Comme il semble que dans ces cultures les attouchements préliminaires ne soient vraiment pas la règle, il me poussa sur le lit, me plaça de travers, enleva sa serviette et me fit signe de faire de même puis ouvrit le petit pot, en prit en peu et me le tendit. Je l'imitai. Je dus lever un peu les jambes pour bien me lubrifier. Il les prit dans ses mains et plaça le bout de sa queue sur mon anus et se mit à pousser. Ça faisait très mal. Je le retins de mes deux mains et lui fit signe d'aller très doucement. J'entendis une porte se refermer dans le corridor. J'avais pris soin d'éteindre la lumière du plafonnier et nous n'étions éclairés que par la pâlotte lampe de chevet.

Je n'étais pas encore très embroché quand je vis apparaître dans l'embrasure un homme. Je ne le reconnus pas immédiatement mais c'était l'homme qui était resté indifférent sur son lit, les bras repliés derrière la tête. Ce que je voyais maintenant était assez alléchant. Il était agréablement dodu, un peu chauve, l'œil moqueur et, dans son sourire, les deux dents d'en avant apparaissaient agréablement écartées. La pénétration était suspendue. Nous examinions tous les deux notre nouveau comparse qui enlevait maintenant sa serviette pour nos dévoiler ses attraits. Pas mal. Je me mis à me lécher les babines et je lui fis signe d'entrer, ce qu'il fit.

J'avais toujours la pine de l'Iranien à moitié enfoncée dans le fondement et je ne pouvais pas trop bouger. Il était évident que mon jeune compagnon n'était absolument pas intéressé à ce nouveau joueur qui admirait pour le moment l'état de la partie. Il me regarda et me dit *nice, very nice. You've got a nice pussy. I'd love to fuck it after.* Il ne m'en fallait pas plus. Je lui fis signe de venir s'asseoir sur ma face. J'étais tellement excité que j'ai commencé à mouiller et je me suis retrouvé plus vite que je ne pensais avec la grosse queue abyssinienne complètement enfouie dans mes entrailles.

J'explorais l'univers secret du nuage poilu qui me recouvrait la face, les fesses tenues bien écartées par ses grosses mains larges, sans me rendre compte que nous avions été joints par deux nouveaux venus. Le petit Polonais et un compagnon que je mis quelques secondes de ma position ombragée à reconnaître. C'était le Directeur du Service d'entretien du Y, Jean-Guy, tous ces genres d'emplois étant occupés dans la boîte soit par des Canadiens français ou des Latinos, les Anglos se réservant les bureaux d'en haut et les grands cadres de la maison.

Le prince perse se retira de ma grotte et je m'extirpai tant bien que mal des fesses qui m'asphyxiaient maintenant, pour découvrir que mon dais avait la petite pine polonaise enfoncée jusque dans le fond de son gosier et que Jean-Guy, en professionnel qu'il était, s'était empressé de faire de même avec le sceptre dégagé de notre Shah. Finalement, tous à tour de rôle s'agenouillèrent de devant et de derrière pour y recevoir l'apanage royal, même le petit Slave réticent, à la demande pressante de Jean-Guy qui avait promis de lui remettre la pareille tout de suite après.

Avec Jean-Guy d'ailleurs, il n'y avait même pas eu de gêne quand nous nous étions reconnus dans la pénombre et souri. Je l'avais laissé me renifler et j'avais fait de même, puis, preuve de complicité suprême, c'est moi qui lui avais léché le derrière avant et pendant qu'il se faisait monter tour à tour par tous nos autres compagnons de jeu. En retour, c'est lui qui m'avait mordillé les seins férocement pendant que l'animal chauve me copulait farouchement à la vue de nos deux autres complices repus.

Par la suite, ce genre d'aventures se produisirent fréquemment. Jean-Guy passait au bureau quand il savait que Massimo était absent pour une raison ou pour une autre et me signalait qu'à la chambre 1123, il y avait un client qui demandait une certaine attention particulière. Et il me lançait un clin d'œil souriant. Il se dirigeait vers l'ascenseur et je le suivais. Jean-Guy n'était pas très bel homme, il n'était pas laid mais il n'avait vraiment rien de remarquable. Il n'était ni gros ni maigre, il avait des cheveux d'un gris souris et des lunettes qui ne l'avantageaient pas. Il semblait porter sur ses épaules le poids d'un long mariage monotone. J'avais rencontré sa femme à quelques reprises dans des événements organisés par le Y, un marathon, entre autres, où nous étions allés pour encourager les coureurs, et je l'avais trouvée éteignoir. C'était avant que je ne découvre les petits plaisirs secrets de son mari et que je ne le voie tout nu. Pour un homme à la fin de la cinquantaine, il se défendait mieux que ses vêtements de travail ne le laissaient supposer.

Et dans l'action, Jean-Guy reprenait vie. C'est sans retenue les après-midi qu'il se jetait à corps perdu sur les hommes nus allongés dans leurs lits, le cou tordu, remplis d'envie de se donner au premier venu. Je l'ai vu de mes yeux rajeunir de vingt ans en un instant. Il faut croire qu'il avait bien aimé notre première rencontre. C'est vrai que je l'avais aidé de mon mieux à obtenir tout ce qu'il voulait, sauf le trône du Prince qui ne se l'était même pas laissé effleurer devant d'autres sujets. Mais pour le reste, je l'avais aidé et il avait réalisé, je crois, que je lui faisais un excellent allié. Ce que par la suite il a eu l'occasion de constater à de nombreuses occasions.

J'ai quand même fière allure et, sans me vanter, je suis encore assez bel homme. J'ai la taille toujours mince et souple grâce au yoga que je pratique deux fois par semaine au Centre Srivananda sur Saint-Laurent, et comme je suis toujours à moitié végétarien, ma peau est saine et rougeaude et on me demande constamment l'hiver si j'arrive du Sud. Dans l'ensemble, j'ai une allure plutôt sportive même si je ne pratique rien d'autre que le croquet. Je fais aussi des poids et haltères trois fois par semaine, histoire de ne pas me retrouver avec des dessous de bras comme Ethel Merman ou pire encore Sophie Tucker, les pauvres, quelqu'un aurait dû leur dire de ne pas porter de robes sans manches au *Ed Sullivan Show* le dimanche soir. J'ai des pectoraux bien développés parce que je fais des *push-ups* tous les matins et, pour le reste, j'en ai déjà parlé. Je ne suis pas supermembré, je ne me suis jamais mesuré mais je fais dans la moyenne, circoncis avec un gland passablement renflé quand il est gonflé. De toute façon, si ça fait l'affaire, tant mieux, sinon, tant pis, mais je dois dire qu'avec beaucoup de pratique, j'ai appris à si bien m'en servir que je n'ai jamais eu de commentaires désagréables, quoiqu'il soit déjà arrivé que la proie que je convoitais m'échappe parce que mon appât dévoilé n'avait pas réussi à l'attirer.

Je ne suis pas difficile non plus. La beauté me laisse de glace quand elle est froide, ce qui est trop souvent le cas, et les corps sculptés réussissent rarement à m'émouvoir. Les grosses queues, elles, ne me sont tout simplement pas un critère de sélection. D'ailleurs, quand je parle de gros organes, je parle toujours de dimensions légèrement supérieures à la mienne, les mammouths, je laisse ça aux amateurs de sensations fortes. La jeunesse m'ennuie si elle me raconte sa vie insignifiante, et les blonds ne me plaisent que s'ils sont poilus. Je préfère les gars ben ordinaires. C'est avec eux que j'ai le plus de plaisir, en général.

Quand je vois un homme, je sais tout de suite si ça va aller ou pas et je me trompe uniquement quand je n'écoute pas mon intuition. Avec Jean-Guy, je ne me suis pas trompé. Nous avons passé d'agréables après-midi ensemble à jouer dans les couloirs, les chambrettes et les douches du Y, toujours dans la charmante compagnie qu'il nous avait repérée. J'ai toujours pensé qu'il ne faisait appel à moi que quand la dulcinée se montrait récalcitrante. Primo, parce qu'il ne venait pas tous les jours me voir, ni même toutes les semaines. Donc, j'ai toujours soupçonné qu'il s'amusait le plus souvent seul. Et tant mieux pour lui. Secundo, parce que quand il me demandait de monter aux étages avec lui, c'était toujours en éclaireur qu'il m'envoyait après m'être dévêtu dans le petit cagibi. Et une fois que j'avais réussi à m'introduire dans le lieu convoité, il me fallait apaiser les protestations de son occupant pour que Jean-Guy ait la permission de se joindre à nous, ce que j'obtenais toujours, et pour notre plus grand bonheur finalement, parce que le rebelle finissait immanquablement par apprécier ce compagnon de jeu une fois qu'il était en mesure de constater in vivo que Jean-Guy était d'une polyvalence et d'une longévité remarquables non seulement pour un homme de son âge mais pour un homme de tout âge.

Mais peu importait. J'étais heureux de voir Jean-Guy content. J'ai toujours aimé faire plaisir. Et Jean-Guy me le rendait bien. Jamais il ne m'a laissé pour compte, il m'a toujours donné ma part, même quand il était évident que le tiers le subjuguait. C'est toujours comme ça dans les relations où la jalousie est absente. Au contraire, de soumettre son objet de désir aux caresses et assauts d'un autre, de le voir jouir sous d'autres attouchements, de l'entendre gémir dans d'autres étreintes ne fait qu'aviver la luxure qu'on a pour lui. Du moins, c'est mon expérience. Et Jean-Guy, de me voir tripoter cet homme qui s'était refusé à lui et qui s'abandonnait bruyamment à moi maintenant ne faisait que l'allumer davantage. Il faut dire que j'allais rarement jusqu'au bout de mes faveurs pour justement laisser libre cours à Jean-Guy d'éteindre comme il l'entendait le brasier que je venais d'allumer sous ses yeux.

Mais tous les paradis artificiels sont éphémères, sans exception. Le mien s'est effondré quand Massimo nous a annoncé à chacun en particulier, à Maria et moi, qu'il avait décidé d'accepter une proposition qu'il avait reçue d'une corporation pour un poste presque doublement rémunéré. La fondation sur laquelle mon fragile fortin reposait a vacillé quand je suis sorti de son bureau ce matin-là.

Comme je l'ai laissé entendre, Lee et moi nous étions déchirés littéralement en morceaux et c'est en lambeaux que je l'avais finalement quitté. Je ne m'étais jamais véritablement remis de ces dernières déchirures. Si j'avais réussi à tenir le fort malgré cette plaie béante qui me brûlait encore la poitrine, c'est que personne depuis n'avait porté de charge contre la ridicule barricade qui me tenait lieu de rempart, surtout pas Massimo et encore moins Maria. Avec eux, j'avais vécu sans même m'en apercevoir la plus longue période d'accalmie de ma vie, y compris celle que j'avais connue avec Parker. *Don't take anything for granted, Charles*, me disait ma grand-mère Burroughs quand j'étais jeune et que j'allais passer quelques semaines avec elle à la campagne l'été dans les Cantons de l'Est. Massimo et Maria m'avaient fait oublier sa précieuse mise en garde.

Céline, ma nouvelle patronne, comme une hyène a humé dès qu'elle m'a rencontré l'odeur légèrement putride que ma plaie dégageait encore malgré toutes ces années et il lui aura fallu bien peu de temps et bien peu d'efforts pour trouver dans ma palissade la funeste faille que le tremblement de mon soutènement avait fait apparaître et me sauter à la gorge.

On dit que, dans une entrevue, tout se décide dans les huit premières secondes. Dès que j'ai posé les yeux sur elle, j'ai su que j'étais fini.

Je ne veux pas recréer dans le détail toutes les atrocités que cette femme m'a faites, tout simplement parce que je ne sais pas si j'y arriverais. Mais je n'ai rien oublié, absolument rien.

Dès la première semaine, elle a commencé par me reprocher d'arriver trop tôt au bureau. Avec Massimo, j'avais pris l'habitude d'entrer entre 6 h et 6 h 30 et jusqu'à 9 h, à l'arrivée de Maria, je travaillais sur les dossiers en cours. J'adorais me retrouver seul, et de plus je suis un lève-tôt. En deux, trois heures je réussissais parfois à faire deux jours de travail. Et quand Massimo arrivait, nous prenions un café en jetant un coup d'œil sur ce que j'avais fait. Le reste de la journée était consacré à faire les corrections ou ajustements que nous avions décidés ensemble et à répondre aux demandes de la clientèle, ce qui était notre rôle premier.

Céline m'a fait venir dans son bureau et a fermé la porte. Elle a dit qu'il me faudrait changer cette habitude, que de toute façon c'était malsain et qu'elle se demandait même si je ne devais pas consulter parce qu'elle me soupçonnait déjà, après quelques jours seulement, d'être un *workaholic.* Ça commençait raide et mal. Ce que je ne lui avais pas dit, c'est que souvent Massimo me donnait congé vers le milieu de l'après-midi, mais je savais déjà que cela serait inutile.

Toujours en privé dans son bureau, la porte fermée, elle m'a reproché ensuite d'être trop bilingue. Je n'en croyais pas mes oreilles. Que ce serait préférable qu'avec les employés je choisisse une langue ou l'autre mais pas le français avec les uns et l'anglais avec les autres. Elle n'avait même pas remarqué qu'avec Maria nous avions continué de nous parler en italien comme nous le faisions avec Massimo. Une chance. J'étais éberlué.

Au bout d'un an, sa gestion incompétente avait réussi à plonger notre département dans un marasme tel que la haute direction nous avait demandé de lui soumettre un plan de redressement. Céline n'avait aucune formation en administration et je n'ai jamais compris comment elle avait eu le poste. Elle s'est donc tournée vers moi qui avais commencé un MBA le soir à l'UQAM pour la sortir de ce mauvais pas. Elle m'a expliqué ce que le Conseil d'administration lui avait demandé et, comme un fou, j'ai travaillé à ces plans qui étaient superbes et dont elle était fière mais qui ont été, lorsqu'elle les a présentés, vertement critiqués parce qu'elle avait mal compris ce qu'ils lui avaient demandé. Évidemment, en spécialiste en la matière, elle a rejeté le blâme sur moi.

Et ainsi de suite pendant près de deux ans. Elle avait presque réussi à me faire passer pour incompétent et aujourd'hui elle est encore là, et je ne sais pas comment.

J'aurais dû lâcher prise tout de suite quand elle m'a été présentée. Mon maître à New York me disait toujours *let go, Charles, let go. Go with the flow. With the flow, Charles.* Au lieu de cela, je me suis entêté, comme je le fais d'habitude, et je me suis accroché à ce poste avec toute l'énergie du désespoir. Et j'en ai payé le prix.

La dernière année, il n'y avait pas un lundi matin où Céline ne me faisait pas venir dans son bureau, la porte fermée, pour me dire qu'elle avait réexaminé le budget du département pendant le week-end et qu'elle se demandait si elle ne devrait pas abolir mon poste. Un an de ce régime, j'ai été fou, mais j'étais effrayé. À quarante-trois ans, je savais que j'étais fini, que je ne me replacerais pas. J'avais même en secret entrepris des démarches dans des agences de placement et partout on me disait que sans mon MBA terminé – il me restait encore trois ans par les soirs – et surtout à cause de mon âge, je serais extrêmement chanceux de pouvoir me replacer.

Je suis finalement tombé malade, j'ai fait une jaunisse et il m'a fallu six mois de convalescence pour m'en remettre. Rien d'exceptionnel sauf que, loin de Céline, qui ne m'a même pas téléphoné une seule fois pour savoir comment j'allais, j'ai réalisé que je respirais vraiment beaucoup mieux quand je ne l'avais plus à la gorge. Mais je n'étais absolument pas prêt encore à perdre mon poste. J'avais une peur bleue de me retrouver à la rue.

En prenant tranquillement le thé l'après-midi, j'ai commencé à penser qu'au lieu, je pourrais peut-être chercher à me débarrasser d'elle. J'ai commencé à élaborer des plans. Tous les soirs, en me couchant, je me suis mis à composer dans ma tête des lettres qui sont vite devenues de plus en plus enflammées et qui exposaient finalement à la haute direction du Y le harcèlement qu'elle exerçait non seulement sur moi, mais aussi sur Maria et, quoiqu'à un moindre degré, sur les autres employés qui relevaient de sa responsabilité. Un jour, dans un moment de rage, je me suis finalement décidé. Je me suis assis devant mon ordinateur et j'ai écrit une lettre déchaînée. Mais j'ai vite réalisé en la relisant après dans la soirée que je n'aurais jamais ni la force ni le courage d'aller jusqu'au bout, qu'elle était en fin de compte une adversaire extrêmement plus forte que moi dans ce genre de choses, et qu'elle me l'avait démontré déjà à maintes reprises. Le coup de la porte de son bureau toujours fermée, c'était tout simplement génial.

J'ai ensuite pensé la tuer. Je commençais à être désespéré. Je ne me voyais plus du tout retourner au travail avec elle dans le décor. Un accident, avec ma voiture, et soir après soir je me suis mis à jouer cette scène dans ma tête, mais Monsieur l'agent, je ne l'avais pas vue, je vous jure, elle s'est jetée devant moi et, dans la panique du moment, j'ai appuyé sur l'accélérateur au lieu du frein. J'ai rejoué ce scénario jusqu'à ce que je m'avoue que je n'aurais jamais non plus le *guts* de le faire.

Un autre soir, le médecin m'ayant annoncé dans la journée que je pourrais retourner au travail dans un mois, un mois et demi max, dans une crise de rage qui m'est montée quand je me suis rappelé qu'elle m'avait dit un jour qu'il fallait quand même que je me compte chanceux de travailler parce que, après tout, j'étais gai et qu'il y avait beaucoup de femmes monoparentales qui prendraient ma place sans rouspéter, elles – j'émettais toujours des réserves à ses projets –, ce soir-là, j'ai entretenu quelques minutes l'idée de la tuer de mes propres mains, au bureau, avec un couteau, un coupe-papier, n'importe quoi. Je dénoncerais ensuite devant les caméras de télévision les tortures que cette femme me faisait subir. Mais ça n'a pas duré. Je savais que je ne le ferais pas non plus. Je n'en avais pas le panache. Et de toute manière, je ne suis pas photogénique.

Et une nuit, finalement, le temps pressait et je recommençais à avoir le souffle court, j'ai eu une idée géniale. J'ai décidé de la faire tuer incognito par quelqu'un d'autre. Dans le garage où elle stationnait sa voiture au centre-ville. Écrabouillée contre le mur de ciment. Il me restait à peu près 2 000 $ en banque. Le lendemain, je suis allé voir Alberto. Ces choses-là se font en personne. Et je lui ai demandé de me donner un numéro de téléphone que je savais qu'il avait, parce que, comme je lui ai dit, j'avais un petit contrat spécial à faire faire. Ça n'a pas été facile, mais quand on veut, on peut et, en échange de 100 $, deux jours plus tard, j'avais ce que je voulais. Sauf que quand j'ai composé les trois premiers chiffres, j'ai manqué de courage et j'ai raccroché.

De la marde! que je me suis dit. Puisque c'était comme ça je n'avais pas le choix, il fallait en fin de compte que je lâche prise et que je quitte le Y.

Quand j'ai eu fini ma convalescence, en rentrant ce premier lundi matin, c'est moi qui suis allé dans le bureau de Céline et qui ai fermé la porte pour lui dire que j'avais communiqué avec Kathleen, la directrice du Y, la semaine d'avant, et que nous avions convenu qu'il valait mieux abolir mon poste. C'est la seule vengeance que j'aie eue, de voir l'expression de surprise contrariée sur son visage. Elle m'a tout de suite demandé comment il se faisait que Kathleen ne lui en avait pas parlé et je lui ai dit que c'est moi qui le lui avais demandé parce que j'avais voulu me réserver le droit de changer d'idée jusqu'à la dernière minute. En deux heures, tous les papiers étaient signés et, à midi, tout était fini.

Comme j'avais planifié le coup, je suis sorti de là avec une extraordinaire lettre de recommandation de Céline qui, pour faire changement, s'était fait forcer la main.

Dès le mardi matin, je me suis mis au téléphone pour solliciter des entrevues. La plupart du temps, en fin de compte, simplement pour remettre mon C.V. et me faire dire: désolé, pour le moment il n'y a rien. En une semaine, celle du 19 mai par exemple, j'ai fait vingt-cinq téléphones, j'ai eu sept entrevues dont une au cégep Bois-de-Boulogne et j'ai répondu à huit annonces publiées dans les journaux, presque toutes par des agences de personnel. Avec toujours le même résultat:

*Monsieur,*

*À la suite de votre offre de services pour le poste d'adjoint administratif, nous avons le regret de vous informer que votre candidature n'a pas été retenue.*

*Le choix d'un candidat ou d'une candidate est toujours une tâche difficile: le comité a pris tous les moyens nécessaires pour que le processus donne les résultats les meilleurs.*

*Nous vous remercions de l'intérêt que vous manifestez envers l'université et nous vous prions d'agréer, Monsieur, l'expression de nos sincères salutations.*

*Nile Galacé*
*Directrice*
*UQAM*

En plus, lors de trois ou quatre entrevues plus formelles, je ne me rappelle plus, je me suis carrément fait dire que j'étais trop vieux. La première fois, je suis resté bouche bée. Et la deuxième fois, j'ai dit à la jeune femme: et vous, Mademoiselle, à 44 ans, vous allez vous tirer une balle dans la tête? Je suis sorti furieux. La jeune femme était blanche comme un drap. Une autre fois, une réceptionniste teinte en blond platine, 50 ans, la bouche en cul de poule orange, me dit: non Monsieur, inutile même de laisser votre C.V., nous avons tout le monde qu'il nous faut. Et je lui réponds: oui mais, Madame, peut-être que vous allez mourir en fin de semaine, on ne sait jamais, et je le prendrais bien, moi, votre job. Je l'ai laissée ahurie en jetant mon C.V. sur son bureau.

J'avais commencé en mars à me chercher un nouveau boulot, le Y ayant pris fin à ce moment-là, et fin novembre, début décembre, je savais que ça ne marcherait pas. On sent ça, ces choses-là.

J'avais connu David en septembre en jouant au bridge. Moi qui n'avais jamais joué aux cartes de ma vie, je l'avais appris pendant l'été dans des livres empruntés à la bibliothèque pour me changer les idées. Je voyais déjà que mon avenir s'annonçait difficile et je cherchais par tous les moyens à oublier ce qui m'attendait. Le bridge en était un. Nous avons joué en équipe, David – que je n'avais jamais vu avant de mettre le pied dans ce club – et moi, de septembre à décembre. Et en janvier, le 2, David m'a invité à dîner. J'ai passé la nuit avec lui et toutes les autres jusqu'en mars quand nous avons décidé d'emménager ensemble.

Et c'est peu après, en me levant un lundi pour faire mes appels habituels, que je lui ai dit – David ne travaillait pas non plus, il était encore aux études – qu'il fallait que je pense vite parce qu'il ne me restait plus beaucoup d'argent, l'assurance-chômage était finie depuis deux ou trois semaines déjà. Et au café j'ai eu l'idée comme ça de partir ma petite compagnie d'entretien ménager.

En fait, en janvier de cette année-là, le 14 ou 15, j'avais eu un téléphone d'un tout petit cabinet d'avocats chez qui j'étais allé porter un C.V. et qui me proposait de remplacer leur réceptionniste qui partait en vacances un mois dans le Sud. J'ai sauté sur l'occasion, surtout qu'ils me payaient sous la table. J'aurais aimé que la jeune fille ne revienne pas, mais elle est revenue.

J'avais remarqué tout de suite que les bureaux étaient plutôt sales et dès le premier après-midi, j'avais pris l'initiative de passer l'aspirateur dans la réception et de faire l'époussetage pendant qu'il n'y avait personne.

Le plus mignon des quatre avocats, celui avec les cheveux poivre et sel que je finirais par baiser sur son bureau les vendredis soir après que tout le monde aura quitté, m'avait dit en passant que d'habitude c'était plus propre que ça mais qu'ils avaient énormément de problèmes à trouver et surtout à garder une femme de ménage.

C'est de là que m'est venue l'idée de la petite compagnie d'entretien ménager pour les petits bureaux de professionnels.

Ce matin-là, j'ai cru sincèrement que j'étais tombé par le plus étrange des hasards sur mon petit paradis personnel. Pas de patron. Et *far from the madding crowd*, loin de la foule et du bruit. Du moins au début, après on verrait, si tout allait bien, peut-être y aurait-il expansion. J'étais extatique – je ne savais pas qu'on pouvait dire ça en français, mais j'ai regardé dans le dictionnaire, et oui – et quand je suis dans cet état-là, je vois toujours grand, trop grand comme David me le reproche souvent. Commence, petit Charles, après, tu verras, qu'il m'a dit ce matin-là.

Mais la vie allait en décider tout autrement. Je crois qu'on ne peut pas échapper à son destin, quel qu'il soit. Et le mien allait me mener tout droit à un autre enfer. Mais ça, je ne le savais pas. Une chance.

# CHAPITRE 3

# Mes premiers clients

Sur papier, mon plan n'avait aucune faille.

Une fois mes cartes d'affaires et mes dépliants prêts, en français seulement, j'ai commencé à les distribuer dans les petits bureaux autour de chez nous, sur Ontario, Amherst, de Maisonneuve et Sainte-Catherine. La première semaine, j'en ai distribué une soixantaine. J'en avais fait faire mille. J'entrais, je me présentais et je laissais ma documentation. Une ou deux personnes seulement m'ont dit non tout de suite parce qu'elles avaient déjà quelqu'un depuis longtemps. Le téléphone n'a pas sonné de la semaine. Je me suis éloigné un peu la deuxième semaine et j'ai commencé à faire les rues Sherbrooke, Saint-Denis, Saint-Laurent et Saint-Hubert. Même chose. La troisième semaine, je me suis éloigné encore plus: le Vieux-Montréal. Même chose.

Je faisais tout à pied et à bicyclette. C'était un beau printemps chaud et ensoleillé, pas comme celui qu'on a eu cette année.

La quatrième semaine, je suis allé un peu plus au nord, vers Beaubien, Saint-Zotique, Bellechasse et Saint-Denis, Saint-Hubert et Saint-Laurent dans ce coin-là, mais Saint-Laurent était un peu trop désolé à cette hauteur. Toujours pas de réponses. Le mardi de la cinquième semaine, en rentrant à la maison, je trouve sur le répondeur le message d'un certain Sylvain qui me dit avoir reçu mon dépliant et me demande de le rappeler. C'est sur le Plateau parce que le numéro de téléphone commence par 845. Je le rappelle tout de suite et nous prenons rendez-vous pour le lendemain matin. Quand David rentre à la maison, c'est la célébration, nous ouvrons la bouteille de saint-émilion. Et après, je m'assois sur lui. C'est ma position préférée. Comme David a les jambes paralysées et porte des appareils, ça ne nous laisse pas beaucoup de choix. Notre lit est très haut perché, c'est un vieux lit à baldaquin genre renaissance italienne et le matelas est juché assez haut justement pour que David puisse m'enculer tant qu'il veut s'il se tient debout à côté du lit et si moi, à quatre pattes, je lui présente mon derrière. Mais ce n'est pas ma position préférée parce que j'ai du mal à me distendre, même quand David a pris le temps de bien m'ouvrir avec sa langue et ses doigts, ce qui ne lui arrive pas souvent. Je préfère l'autre position: je me couche sur le dos et me lève le cul avec des coussins et des oreillers pour que David puisse m'enfourcher par en avant en se tenant en équilibre en m'empoignant les deux jambes bien écartées. Mais la position que je préfère par-dessus tout, c'est celle où il se couche sur le dos sur le lit et tient sa queue bien droite dans sa main gauche en me demandant de venir m'asseoir dessus, ce que je fais toujours avec le plus grand empressement. Normalement, je préfère m'embrocher à sec dans cette position et quand je suis bien enfourné jusqu'au fond, je laisse David me ravager le creuset à sa guise. J'adore me pincer les seins pendant qu'il me défonce littéralement, David ne s'embarrasse pas de subtilités. Et je n'ai même pas à me toucher pour venir. Bandé comme un cochon, ma pine lui sautille sur le ventre à chaque coup qu'il me donne et dès que je le sens commencer à venir, je viens aussi. Comme je ne me tiens pas la queue, je décharge dans toutes les directions, et des fois, si je ne suis pas venu pendant deux ou trois jours, mon premier jet l'atteint en plein visage. C'est ce qui me fait venir le plus vite et le plus loin. Quand je viens dans la bouche de quelqu'un, ce qui est rare parce que je n'aime pas tellement me faire sucer, sauf en prenant un sauna, par un jeune garçon qui m'ouvre les cuisses pour me prendre du bout de la bouche, là je viens, mais doucement comme si je laissais écouler tranquillement dans son gosier mon trop-plein. Mais ça ne m'arrive pas souvent.

David, lui, déteste sucer, déteste encore plus que moi se faire sucer, ne veut rien savoir de se masturber, et pas longtemps après qu'on se fut connu, il m'a avoué qu'il n'aimait pas trop se faire manger la raie, ce que j'avais remarqué. Ce soir-là, nous avons donc célébré en grand et quand j'ai commencé à venir, David a ouvert la bouche pour faire semblant d'essayer d'attraper ma décharge, histoire de m'exciter davantage et de me faire venir encore plus.

Sylvain a tout de la petite madame de Laval, même la permanente frisée serré. Sauf que lui, comme les hommes qui le font en général, c'est pour cacher une calvitie galopante. Il a aussi le nez refait – grâce à mon oncle Andy, je suis un spécialiste en la matière – et de ses poignets très cassés, il me fait visiter le bureau, qui est immense. Ils sont traducteurs et il y a cinq traductrices qui travaillent pour eux. J'ai tout de suite compris: conditions de travail dégueulasses et salaires bien en dessous du marché courant. Ce sera vérifié plus tard quand, un vendredi soir, je trouverai Marie encore courbée sur son ordinateur qui me dira qu'elle n'en peut plus en déballant tout son sac au-dessus d'une tasse de café.

Il me présente aussi Mario, même nez refait sauf vingt ans plus vieux et pas assez de cheveux pour les permanenter. Deux vieilles filles maudites, ai-je pensé intuitivement. Tant pis. Je fais mon prix, tellement en deçà de ce qu'ils attendaient que j'ai tout de suite le contrat, je commence vendredi soir qui vient. Je serre leurs mains molles et froides d'avaricieux et vais célébrer seul dans un petit café de la rue Saint-Denis, David travaille aujourd'hui.

Il est 9 h 45 et je ne sais pas quoi faire du reste de la journée. Je décide de passer au sauna m'amuser un peu et m'émoustiller dans l'espoir que David sera encore assez en forme ce soir pour apaiser le volcan que je vais allumer. Ce doit être la pleine lune. J'y trouve en premier, dans les casiers, un petit jeune homme agréablement grassouillet à la poitrine voluptueuse que je lui caresse, embrasse, suce, mordille et pince jusqu'à ce qu'il me vienne tellement plein la bouche que ça me coule un peu sur le menton. Je monte ensuite aux étages et entreprends le siège d'un colosse encore mal réveillé jusqu'à ce que je le mette complètement à feu et à sec. Je lui avais laissé entrer quelque doigt mais je me suis dépêché de trouver sa prostate pour ne pas succomber à la tentation de me laisser plotter avec son gros moignon que j'avais délicatement décapé de mes lèvres.

Quand j'ai fini, je regarde l'heure, 11 h 45. Juste le temps d'enfourcher ma bicyclette et de passer au marché Jean-Talon. Je veux faire des asperges à la polonaise comme entrée ce soir et la sieste avant le retour de David.

Le ménage du bureau est beaucoup plus long à faire que je ne l'avais évalué, j'avais mal calculé. Et il n'a pas fallu beaucoup de temps avant que Sylvain ne me laisse des petits mots me demandant de ne pas oublier d'épousseter aussi les ventilateurs du plafond, par exemple. Rapidement, semaine après semaine, je dois faire de plus en plus de petits extras qui n'avaient pas été entendus, mais avec cet unique contrat et le téléphone qui n'avait pas resonné depuis, je peux difficilement refuser.

Un mois à peu près après avoir commencé à travailler pour eux, un soir qu'il traînait encore au bureau, Mario me demande si je faisais aussi des résidences. Même si j'avais juré pour mon salut le contraire, je me suis empressé de lui dire oui et, la semaine suivante, je commençais à faire le ménage de leur immense loft de mauvais goût dans Outremont avec vue imprenable sur la montagne. Tout était de gris, de noir et de blanc, ce qui, entre les mains d'Andrée Putman, aurait été génial, mais leurs meubles étaient de chez la pauvre Clairette Mermont de la Plaza Saint-Hubert et tout plaqués contre les murs. Une abomination.

Quand j'étais allé faire ma visite d'inspection pour qu'ils me montrent de quoi il s'agissait, ils avaient été fiers de me dire que c'était la grande Philippine Nagedais qui les avait aidés à décorer et que le sofa de cuirette valait 5 000 $ mais qu'ils l'avaient eu pour 3, et que la couette de leur lit avait été créée spécialement pour eux, une horreur en tulle qui leur avait coûté 1 000 $ et ainsi de suite. J'arrête, j'ai mal au cœur juste d'en reparler.

De toute façon, je n'ai aimé aucune des maisons où j'ai travaillé jusqu'ici. Avec notre petit taudis que nous avons tranformé en cottage anglais et la terrasse que nous avons aménagée en jardin du XVIIIᵉ siècle, David et moi avons une bien plus belle demeure que toutes les leurs mises ensemble. Et pour une bouchée de pain, presque entièrement meublée à la Saint-Vincent-de-Paul, au coin de la rue comme j'ai dit, et à même les vidanges. Quand une cliente m'a dit qu'il y avait des avantages à être pauvre, j'avoue que je n'ai pas pensé à celui-là. Surtout que, dans notre quartier, ce ne sont pas les petits meubles antiques à retaper qui sont populaires, mais les fauteuils en peluche orange et les commodes en mélamine blanche qui donnent l'illusion de sortir tout droit de chez Mault et Bratineau. Les grands cadres dorés à la Louis XV, David les a payés 2 $, le sofa Directoire en velours brun 25 $, les lampes vénitiennes 10 $, avec les abat-jour de soie crème bordés d'un ruban de velours vert mousse. Tout le tissu d'été rayé vert, jaune et crème, on l'a eu sur la Plaza pour 4,99 $ le mètre, le brocart vert des tentures chez C&M l'entrepôt pour 10 $ le mètre, le voile des fenêtres chez Debouk pour 3,99 $. La table en bambou sur laquelle trône mon bouddha, David l'a trouvée à 10 $ sur Ontario dans une brocante qui fermait, le ventilateur en acajou du plafond dans une autre brocante pour 5 $ à cause des décorations en laiton. La chambre à coucher nous a coûté 100 $, au complet, matelas compris. David avait déjà la salle à manger en laque noire avec des chaises Empire que nous avons recouvertes de satin bourgogne, crème et or, et j'ai japonisé le tout en peignant sur la surface des meubles des tiges de bambou vieil or. J'avais déjà une collection d'aquarelles chinoises et japonaises d'oiseaux antiques et, avec le 100 $ que David a reçu de sa mère un Noël, il a acheté en solde sur Amherst un magnifique chandelier en cristal Louis XV. En remplaçant le petit miroir ridicule du buffet par un immense miroir rond que j'ai trouvé dans les vidanges un soir en rentrant du travail, notre salle à manger pourrait maintenant être photographiée dans *Architectural Digest*, surtout depuis que j'ai remplacé de peine et de misère les vieux carreaux bruns du plancher par des carreaux noirs et blancs. Avec les portes persiennes toutes blanches qui ouvrent sur le salon, c'est tout simplement ravissant. Le salon, lui, est peint vert tendre et au plafond j'ai fixé de vieilles poutres en bois équarries à la hache que nos voisins nous ont données pendant les rénovations de leur maison. Il ne manquerait qu'une cheminée pour que la propriétaire, la vieille vache de Crapaud comme je l'appelle au lieu de Drapeau, nous mette à la porte et vienne habiter chez nous.

Je n'ai jamais baisé avec S&M. Non pas parce qu'ils sont laids comme des pichous, des fois ce sont les meilleurs, ils compensent en étant supercochons, mais parce qu'ils ne me disaient rien. Moi, lécher les bottes de quelqu'un, non merci, et me faire humilier, encore moins, la vie me l'a assez fait sans que je lui en redemande. Et me faire faire mal, pas question. La seule fois où je suis allé voir un masseur en espérant à moitié qu'il allait se passer quelque chose, et il s'est effectivement passé quelque chose, il voulait me faire du *rolfing*. Je lui ai dit: écoute, je ne paierai jamais pour me faire faire mal, alors ou tu y vas doucement ou bien je m'en vais tout de suite. Ç'avait été très bien. Sauf qu'il voulait 20 $ pour que je le branle et 30 $ pour me venir dans la bouche. Je lui ai dit de laisser faire et, comme il était tard et qu'il n'avait pas d'autres clients, j'imagine, il s'est laissé faire. J'ai même trempé mon biscuit dans sa tasse de chocolat chaud et j'ai bu de son lait fouetté deux fois. Moi, j'étais venu trois fois, une fois bien planté dans sa miche de pain, une autre fois pendant qu'il m'embrochait comme un poulet et une troisième fois quand il m'a supplié pour un *chaser* avant que je ne rentre à la maison.

Par contre, ils avaient un magnéto, une gigantesque télé et une collection de films pornos impressionnante. Je finissais souvent ma journée de travail par une petite séance de visionnement.

Tout ce qui est famille m'excite terriblement. Deux cousins, deux frères ou encore mieux un père et un fils me font bander au max. Une belle raie poilue qui se fait labourer, ça aussi c'est pas mal, d'abord que la caméra nous rappelle de temps à autre les visages à l'œuvre. Un gars qui en a planté cinq ou six depuis le début du film et qui se fait finalement planter à son tour me fait mouiller. De même les vierges ou les gars qui ont peur et qui disent *you won't hurt me* et qui grimacent pendant que l'autre commence à leur pourfendre le pourtour me coupent la respiration.

Ils ne m'ont jamais surpris en flagrant délit. Une fois que je faisais jouer un film comme ça pour y jeter un coup d'œil, rien d'excitant finalement (les gars n'arrivaient même pas à bander dur) et que j'avais mis la télé sur *mute* parce que je passais l'aspirateur, on a sonné à la porte. Un monsieur est monté, début quarantaine, cheveux longs, frisés naturellement, attachés en arrière, barbe forte et pas rasée du jour, cigarette au bec, pas plus grand que moi, tatouages sur les avant-bras, chemise ouverte, poitrine poilue noire. Il me tend un paquet, je signe et il me demande s'il peut téléphoner deux minutes. Il entre et nous tombons face à face avec les deux gars de la télé que j'avais oubliés parce qu'il y avait un moment que leur tournais le dos. Le moins mou est en train d'enculer l'autre. Je rougis et dis que je vais éteindre ça. Il me répond: non, laisse, c'est correct. Tout le temps qu'il est au téléphone, il a les yeux rivés à l'écran. Quand il a fini, il me dit: tu m'attends deux minutes? Il descend.

J'arrête le film et en mets un autre avec plein de queues bandées comme des tiges de métal et de craques poilues du début à la fin qui changent constamment de mains.

Le monsieur remonte et me demande s'il peut s'asseoir un peu pour regarder ça. Il s'installe dans un fauteuil, moi dans un autre. Il me demande si j'ai quelque chose à boire et je lui dis que j'ai du scotch. J'en verse deux verres et il s'allume une cigarette. Puis il détache sa ceinture et ouvre son pantalon. Il porte un sous-vêtement marine. Il me regarde. Je fais la même chose. Il porte un anneau à la main gauche. La première scène d'orgie commence. Quatre gars. Les deux foncés vont enculer les deux blonds et, après, les deux blonds vont enculer les deux foncés. Il commence à se frotter et moi aussi. Il se frotte, frotte, et refrotte. Je prends les devants et sors ma queue de mes sous-vêtements blancs. C'est tout ce que ça prenait. Belle bite. On se masturbe. Je le regarde constamment. Il ne me regarde plus, il fixe la télé. Je prends mon courage à deux mains, enlève mon pantalon et mon sous-vêtement. Il descend les siens jusqu'à ses chevilles. Je fais le premier pas et commence à me lever. Il dit: non, si tu te lèves, je m'en vas. C'est tout ce que je veux, pas plus. Je le regarde et regarde ce qu'il regarde. Le grand foncé se met maintenant à quatre pattes sur le banc du vestiaire et le petit blond se place derrière, mon livreur redouble d'ardeur et quand l'enculade commence, je suis sûr qu'il va venir tellement il râle avec eux. J'avais remis le son. Mais non. Le deuxième brun se fait enculer à son tour par le grand blond un peu trop mince et c'est le même scénario qui se répète par en arrière. Tout le monde est venu finalement, sauf nous deux.

On passe à une autre scène. Un roux, ce qui est rare, mais un roux foncé, barbu, avec un Noir. Le Noir est superéquipé comme il se doit et se sert du roux comme d'une poupée de chiffon. Le roux grimace, le Noir a vraiment beaucoup de difficulté à le pénétrer. Moi, je suis au bord, mais pas l'autre. J'arrête un peu. Le Noir s'en donne à cœur joie maintenant et d'un coup sort sa queue et vient partout sur les fesses du rouquin qui a les jambes et le trou bien écartés. L'Écossais ne vient pas. Le Noir reste à genoux sur le lit, constatant les ravages. L'autre se retourne maintenant à 180 degrés et commence à nettoyer de sa bouche le muscle qui l'a tant fait souffrir. La bouche voisine lâche un oh crisse que c'est cochon ça. Si seulement il avait voulu, me suis-je dit, nous aurions pu être aussi heureux. Puis la tête se laisse glisser et la prise de vue coupe à la langue caramel qui explore frénétiquement le trou noir qui se trouve maintenant au-dessus d'elle. Les râles augmentent dangereusement. Quand le premier doigt d'albâtre transperce la surface d'ébène, j'ai pensé que le livreur était venu mais c'était l'acteur assailli qui criait. Deux doigts, trois, c'était magnifique. Puis les deux index aidés des deux majeurs nous ont laissé voir l'univers rose tendre qui se cachait de l'autre côté du séant noirâtre. Cette découverte fait monter d'un cran l'excitation de tous les participants. Pendant ce temps, le Noir s'enfonce jusque dans le fond de la gorge le pieu du poil de carotte. Et finalement, c'est justement toute une carotte. Puis tout à coup, j'entends: crisse, je vais venir, je vais venir et j'ai juste le temps de me tourner la tête pour voir le livreur se délester de son butin. Il vient en quantité impressionnante sur le plancher de bois franc à ses pieds, quantité que j'évalue rapidement à l'œil à une semaine et demie minimum d'abstinence complète, et quand il a fini, il y a devant lui quatre petits lacs blancs sur lesquels je me précipite pour me désaltérer. T'es cochon vrai, toi, qu'il me dit en remontant son attirail. Mais je venais juste, avant qu'il arrive, de laver le plancher.

Puis il est parti en vitesse et je me suis rassis devant un autre film, du début des années soixante-dix, celui-là, pour regarder un beau grand châtain clair se languir devant un monsieur ventru qui lui demande tout d'abord de se déshabiller, puis de bander, puis de lui montrer ses fesses, de se pencher en avant, de s'écarter, etc. Ce film-là me fait venir à tout coup.

Je travaillais chez eux le vendredi. Tout le monde veut avoir son ménage fait le vendredi. On s'était pourtant bien entendu que je ne ferais ni la vaisselle ni le repassage. Il n'a pas fallu beaucoup de temps pour que de vendredi en vendredi, les chaudrons et le cristal s'empilent de plus en plus haut sur les comptoirs, en plus du lave-vaisselle que je devais partir, vider, reremplir, repartir et revider. Je savais que je n'y pouvais rien, que je devais plier ou m'en aller. Ces choses-là, on les sent, et je n'avais toujours qu'eux comme clients. Les autres jours de la semaine, j'allais toujours distribuer mes dépliants mais ces efforts restaient sans réponse.

J'étais toujours confiant que j'allais décrocher d'autres petits bureaux, comme j'en avais rêvé, jusqu'au jour où, deux mois après que j'avais commencé à travailler pour eux, Sylvain me téléphone pour me dire qu'une amie d'une amie de sa mère, Mme T, cherchait quelqu'un et qu'il lui avait vanté mon travail. Elle voulait absolument que je lui téléphone. Elle avait besoin de quelqu'un une fois aux deux semaines. Elle habitait Outremont elle aussi, la chère, et c'était mieux que rien. Ça, c'était le soir. Le lendemain matin, je reçois un autre appel d'une certaine Mme V qui a reçu mon dépliant et qui habite au coin de Saint-Denis et Everett, juste avant le boulevard Métropolitain, et qui voudrait que je nettoie son apparte une semaine, l'apparte de son fils en dessous l'autre semaine et une semaine sur deux en plus le bureau qui est au rez-de-chaussée du triplex qu'elle a acheté en reprise pour une bouchée de pain, me dit-elle tout de go. J'ai la puce à l'oreille. J'imagine une radine, décolorée, courte avec un cul large comme une entrée de garage. Ce même après-midi, je pouvais constater que je ne m'étais trompé que de quelque peu, elle avait le cul encore plus large que je ne l'avais imaginé. Elle m'explique qu'elle est thérapeute naturopathe en quelque sorte surtout pour des problèmes d'ordre sexuel. Dans son bureau, il y a un lit et sur la table, à côté, une boîte de papier-mouchoirs qui m'intrigue. Son mari est graphologue mais, ce jour-là, il n'est pas là. Bon, on s'entend supposément. Un autre contrat.

Le lendemain, je vais chez Mme T, qui ressemble comme deux gouttes d'eau à Holly Woodlawn. Priapite en vendait une photo en carte postale il y a trois, quatre ans, et elle s'était elle aussi fait remonter les paupières comme Mme T. J'irai chez elle une fois aux deux semaines et, à l'occasion, je descendrai chez sa fille qui habite au sous-sol. Un appartement d'Outremont par la peau des dents. Murs qui crient peinture, carreaux de céramique cassés sur le plancher de la cuisine, salles de bains dilapidées, meubles défraîchis depuis très longtemps. Mais de l'extérieur, façade impassible. Et d'une propreté à manger par terre. Mme T est d'une maigreur remarquable. Sèche de geste et de parole, je vois immédiatement qu'elle a l'habitude de malmener. Ce ne sera pas facile, ses demandes sont dès le début inversement proportionnelles à son poids, je devrai presque laver son taudis outremontais du plancher au plafond à chacune de mes visites pour lui faire plaisir. Elle a aussi un mari, Gaston, retraité avec un sourire sournois qui en dit long et un garçon qui occupe la chambre du fond, court sur pattes avec petite fripouille imprimé sur le front, jeans serrés, fesses bombées, yeux baissés. Ça promet.

Il y a pire dans la vie que de nettoyer la merde des autres, c'est ce que je m'étais dit. Loin de la foule à l'abri des yeux d'autrui, dans des bureaux la nuit, ça devait payer le loyer et les comptes. Mais au grand jour, au vu et au su de tous, sous l'œil méprisant d'une cliente au port condescendant, c'était un peu plus révoltant. De se faire suivre de pièce en pièce comme Mme V le faisait et de se faire demander: Charles, as-tu fait l'armoire sous l'évier de cuisine? Ah oui? on dirait pas. Ou encore: Charles, as-tu eu le temps de faire la garde-robe dans ma chambre à coucher? Non? Je me disais aussi. Ou de se faire demander par Mme T, juste comme on termine, épuisé, claqué: oh Charles! j'ai oublié, pourrais-tu balayer les deux balcons et les laver et aussi les marches et le trottoir en avant, c'est d'une saleté écœurante, c'est ça qui révolte avec le temps. De se faire demander: ça va? et de se faire tourner le dos avant même d'avoir eu le temps de répondre, c'est ça qui donne le goût d'y planter un gros couteau. D'entendre constamment gémir que la vie est chère, qu'il faut énormément d'argent pour vivre le moindrement décemment et de se faire payer, du bout des doigts, deux vingt dollars, un cinq dollars, un deux dollars, deux un dollar et quatre vingt-cinq cents, c'est humiliant. Surtout qu'il y avait toujours un long laps de temps entre le cinq dollars et la menue monnaie, parce qu'elle espérait toujours que j'allais lui dire de laisser faire pour le reste.

Incroyable ce que le langage du corps révèle dans ces moments-là. Le geste qui hésite volontairement et les yeux qui baissent en même temps de façon calculée, le corps toujours tourné de trois quarts, ça ne ment pas. Et le ton de la voix, impérieux, pour ne pas dire impérial, qui commande, exige, et qui annonce, si on n'y fait pas attention, le coup fatal. Le pourrais-tu hypocrite qui l'accompagne n'est plus ici que le vestige d'une éducation couventine qui leur a appris aussi à bien rouler leurs r, comme les ra qui couvraient le bruit du couperet et les cris des suppliciés pendant les exécutions durant la Révolution. Ce ton délivré la tête rejetée en arrière pour toujours regarder de haut, peu importe, et soutenu de leurs yeux à la pupille dédaigneuse entraînée depuis la tendre enfance à marquer ainsi leur indifférence. Le doigt également indiquant un certain chiffon qui doit être utilisé au lieu d'un autre ou un coin qui ne doit pas être oublié, toujours pointé comme une menace, comme un revolver braqué.

Et les listes interminables laissées sur les comptoirs noircies d'une écriture qui en trahit la soussignée. Pattes de mouches toujours louches; trop appliquée, il faut se méfier; enfantine, absolument assassine; grandiose, on ne lésine surtout pas avec la chose.

Tout ce non-dit comme un rituel animal qui règle l'ordre social. Ils sont en haut, je suis en bas, et je ne dois jamais l'oublier, et ils se font un devoir de me le rappeler, constamment. Si, à leur question: ça va?, j'ai le malheur de répondre par plus qu'un oui qui les empêche de me tourner carrément le dos, le sourire d'impatience qui se glisse sur leur bouche me laisse savoir avec horreur que je n'ai pas su tenir mon rang, que j'ai cru qu'ils étaient intéressés alors qu'ils ne le sont pas et que je l'ai oublié, faux pas impardonnable. On me remet à ma place comme on le ferait dans une meute de chiens.

Après plus de trois ans maintenant, j'ai appris finalement et quand on me demande: ça va?, je ne réponds que par un oui bref, peu importe.

J'ai remarqué à de nombreuses occasions que ces gens ont rarement des confidents. Je ne m'en étonne pas. Ils ont des connaissances, des copines, des collègues, parfois des camarades d'enfance, des partenaires de golf ou de bridge, mais ils n'ont jamais dans leur vie quelqu'un qui les écoute. Ils n'ont souvent finalement que les gens qui travaillent pour eux et qui sont en quelque sorte leurs prisonniers. La meilleure amie de la Callas était sa femme de ménage. Greta Garbo aussi. La même chose pour mes clients qui, eux, malheureusement pour moi, sont beaucoup moins intéressants. Je suis en fin de compte leur seul confident. Je connais tout de leurs problèmes conjugaux, familiaux et banquaux.

Je connais exactement le revenu de Mme T et les dettes de Mme V, je savais depuis le début que Mme T ne baisait plus avec M. T depuis au moins quinze ans, ses lèvres toutes ridées l'avaient trahie de toute façon, que le fils de M. et Mme V était encore vierge, que Sylvie, la fille de Mme T, était alcoolique, morphinomane et nymphomane avant même que je ne la rencontre, et que Benoît, son fils, leur avait volé 10 000 $ en imitant la signature de son père sur un chèque.

Mais peut-être est-ce naturel de confier ainsi ses plus profonds secrets à quelqu'un qui, finalement, n'est rien à ses yeux, tellement rien qu'il ne représente aucune menace. Je ne sais pas. Ou peut-être était-ce simplement de vider leur merde sur quelqu'un qu'ils traitaient comme de la merde. Merde sur merde, je crois que c'est plutôt ça finalement.

Au début, avec S&M, je n'avais pas ce problème parce que, quand j'allais à leur bureau, ils avaient déjà quitté, et quand j'allais à leur résidence, ils étaient déjà au bureau.

C'est là où, de toute ma carrière d'homme de ménage, j'ai été le plus heureux. Au commencement, j'allais faire leur bureau le vendredi soir puis après, quand j'ai vu que les contrats ne rentraient pas aussi vite que je l'avais cru dans mon délire de grandeur, je leur ai demandé si c'était possible qu'au lieu, j'y aille le samedi. Quand ils ont dit oui, ç'a été le bonheur parfait. J'arrivais à 10 h pour écouter à la radio *Annales du disque* et, dans l'après-midi, j'écoutais tout l'opéra. Je rentrais à la maison vers 17 h 30, heureux comme un pape de la Renaissance qui vient de se farcir le plus mignon de ses jeunes gardes suisses, celui couvert d'un duvet châtain qu'il zieutait depuis son arrivée il y a un mois et qui finalement lui a été amené de force, ligoté et bâillonné et qu'il a défloré lentement avec sa langue d'abord, ses doigts ensuite puis avec une banane suivie d'une courgette avant de l'enfiler finalement de sa grosse queue fromagée et de terminer le travail avec un cierge pascal de la Chapelle pontificale qui a fait gicler le jeune soldat dans la bouche papale plus qu'il n'aurait cru lui-même en être capable un jour dans ses fantasmes les plus débridés.

Je flottais.

Je ne sais pas ce que j'ai, mais quand j'y repense finalement, de toute ma vie, même avant de devenir homme de ménage, j'ai toujours attiré les confidences des gens et souvent les plus intimes. Peut-être parce que justement je ne me suis jamais lié intimement à personne et que je suis toujours resté étranger à tout le monde, peut-être était-ce la même chose avec mes clients.

S&M n'ont donc pas gardé leurs distances très longtemps. Un vendredi matin en arrivant, je trouve une pile de vaisselle énorme, de la cire blanche gouttelettée partout sur la moquette grise de la chambre à coucher, une des deux cuvettes remplie à ras bord de merde fraîche et une liste me demandant de vider la dépense, de la laver et de remettre le tout en place. En terminant, Sylvain m'écrit qu'il me téléphonera à 10 h pile. Ce qu'il fait promptement et qu'il fera jusqu'à ce que j'arrête de travailler pour eux. Pour me demander mon avis sur la nouvelle table de la salle à manger, pour me dire de ne pas oublier de ne pas mettre le lin dans la sécheuse, pour me demander ce que je pense de M. et Mme T, de Sylvie et du beau Benoît, est-ce que je pense qu'il est gai ou au moins est-ce qu'il marche dans les fesses, que Mario est trop macho maintenant, que leurs amis ne fréquentent que les gens qui habitent dans des appartes de 250 000 $ et plus, le standing, tu comprends, Charles, est-ce que tu savais qu'on a payé 279 000 $ pour le nôtre? et c'est ainsi que j'ai tout su d'eux et eux rien de moi. Mario avait commencé à faire la même chose; le vendredi soir, il prétextait quelque temps supplémentaire pour me parler de Sylvain, de ses manies de vieille fille enragée, de ses ex à lui, un Richard, qui pouvait se faire enculer trois fois de file et qui en redemandait encore, c'était pas le cas de Sylvain, de l'argent qu'il faisait, de l'argent qu'il cachait, de l'argent qu'il aidait ses clients à cacher, enfin de tout ce que je n'aurais pas dû savoir.

Quand j'ai commencé à travailler le samedi, pas longtemps après, Mario venait me voir au bureau seul vers midi prétextant avoir oublié quelque papier à relire ou quelque téléphone à faire et me confiait alors ses angoisses les plus déchirantes, comme s'il allait se faire refaire aussi le menton ou non. Il repartait après s'être vidé de ses déboires de la veille avec un petit danseur du Babou qui avait passé la nuit à s'écarteler avec lui et Sylvain pour 150 $ et je terminais mon travail heureux de me retrouver seul. La solitude est le seul état dans lequel je me sens vraiment bien. Dommage que je ne puisse pas mieux la supporter. Et que je doive gagner ma vie. Comme disait Pascal, tous nos ennuis viennent de ce qu'on ne peut rester seul dans sa chambre.

Si ce n'avait été que de S&M, si j'avais pu vivre avec 100 $ par semaine, j'aurais probablement beaucoup mieux souffert d'avoir le nez dans la merde. Mais de me le faire mettre aussi par Mme T, par Mme V et un peu plus tard par deux autres clientes, B.S., une actrice déchue par sa mauvaise réputation que je ne connaissais pas, ayant peu, jusqu'à ce que je rencontre David, regardé la télé en français, et par la femme du vet, c'est ce qui a fini par me faire craquer.

Une fois, chez S&M, après avoir lavé une tonne de vaisselle et avoir mis le doigt sans m'en douter dans un bouchon de merde qui obstruait le renvoi de leur douche, j'ai furieusement pris leurs brosses à dents et j'ai nettoyé la diarrhée qui était restée collée tout autour d'un des bols de toilette. Je ne le savais pas, mais ce jour-là marquait le début de la guérilla que j'allais mener dorénavant contre ceux que j'identifiais maintenant comme des despotes.

Pour le moment, ce ne serait qu'une suite d'escarmouches bien anodines. Dans le cas des S&M, j'avais espéré qu'ils contractent au moins une jaunisse l'un de l'autre ou de la merde d'un de leurs petits esclaves à la pièce, mais ce n'est jamais arrivé. Ce n'est qu'un an plus tard, à peu près, une fois que j'aurai bien compris la stratégie de ceux que je considérais maintenant comme mes ennemis, que je commencerai à frapper des coups plus mortels.

J'ai toujours détesté la classe moyenne. Tout petit, j'avais appris très tôt, quand elle m'envahissait, à l'ignorer et à me réfugier dans cet abri intérieur dont j'ai parlé et que je m'étais construit comme je l'ai dit pour échapper à toute forme de danger qui m'agressait. Et plus tard, partout où j'avais travaillé, j'avais toujours réussi à lui glisser entre les doigts. Jusqu'à ce que j'entre dans son intimité donc, je n'avais jamais eu à m'y frotter vraiment. Je n'allais jamais aux parties des bureaux où je travaillais. Une fois, à McGill, le recteur était venu me voir pour m'inviter personnellement à la fête de Noël à Thompson House, le club des diplômés sur la montagne, et je lui avais répondu qu'il pouvait compter sur moi sans faute mais qu'en retour il devait me promettre en échange que la soirée allait se terminer entre hommes dans une orgie déchaînée. Il m'a fait ce sourire maladroit qu'ils font tous quand ils sont désarçonnés.

Jusqu'à l'an dernier, j'ai eu dans ma vie une petite Canadienne française, Claudette, que j'avais rencontrée par l'entremise d'une aventure qui s'était éternisée sans raison. C'est elle, en l'observant et en l'écoutant, j'allais dire en la disséquant, qui m'a finalement fait comprendre la classe moyenne et son mode de fonctionnement.

Règle numéro un: exclusion sans appel de tout élément disparate. Tout ce qui s'habille différemment, parle différemment, rit différemment, pense différemment est immédiatement retranché, comme un membre gangrené, pour éviter la contagion.

Deuxième règle: tout comme les chiens, c'est d'elle que j'ai eu cette idée-là, la classe moyenne est régie par la loi hiérarchique. Chacun a sa place et chacun est à sa place, sinon, comme je l'ai appris plus tard à mes dépens, la meute s'occupe de le lui rappeler. Selon un statut basé sur le revenu, la profession, le lieu de résidence, les fréquentations et une foule d'autres critères aussi assommants les uns que les autres. Personne dans ce petit monde n'échappe à cette règle.

Troisième règle: écraser pour régner, par tous les moyens. J'ai lu un jour ce mot qu'un courtisan avait eu pour Louis XIV: Sire, vous êtes grand parce que nous sommes à genoux. C'était la maxime de la classe moyenne avant l'âge. La Révolution n'a rien changé aux choses.

Quatrième règle: tout rabaisser à son niveau. Tout ce qui lui est incompréhensible, c'est-à-dire brillant, sensible, farfelu, inattendu, spontané, grandiose, tout ce qui la dépasse, le rêve surtout, tout absolument tout ce qui pourrait être d'une façon ou d'une autre plus grand et plus beau qu'elle – ce qui n'est pas difficile – doit être ramené à son niveau. Elle ne recule devant rien et utilise encore à cette fin et à très bon escient le ridicule. Elle doit pouvoir tout contrôler pour survivre, sinon elle doit le détruire.

Cinquième et dernière règle: c'est d'avoir toujours raison, par tous les moyens, de toujours gagner, de toujours avoir le dernier mot. Clouer le bec, tuer dans l'œuf.

C'est ce que Claudette m'a fait comprendre. La dernière fois que je l'ai vue, c'était à la Saint-Jean-Baptiste l'an dernier. Nous nous étions donné rendez-vous avec Loulou, sa petite fille de quatre ans – Claudette est divorcée – devant la statue au Parc La Fontaine pour regarder le défilé ensemble. Il y avait longtemps que nous nous étions vus.

Après nous être copieusement embrassés et demandé les nouvelles d'usage, nous nous sommes installés pour regarder le défilé passer. En attendant qu'elle arrive, on a échangé nos banalités courantes, Claudette commençant par nous raconter comment une de ses clientes – elle est travailleuse sociale auprès des personnes âgées – lui avait demandé qui lui avait coupé les cheveux, parce que je les trouve tellement bien coupés, Madame, il y a juste un maître coiffeur pour faire du beau travail comme ça, c'était un maître coiffeur, c'est ça, n'est-ce pas? J'adore les gens âgés, je les ai toujours adorés, quand ils sont gentils, pas comme mon arrière-grand-père, au Havre. De mon côté, je lui ai raconté comment Mme L, une cliente occasionnelle, la sœur d'un cinéaste célèbre d'ici, avait une peau et une allure extraordinairement jeunes, et que je croyais avoir percé son secret parce que partout dans la maison je trouvais cachées des seringues et que je soupçonnais qu'elle se piquait au collagène. Mme L est esthéticiennne. Aïe, si elle avait trouvé le secret de la Fontaine de Jouvence, comme tu dis, tu penses bien qu'elle l'aurait vendu, son secret. Voyons, Charles, je te dis, toi...

David, qui était avec moi, a pris la relève et lui a dit comment en effet c'était stupéfiant. Elle est toute menue et toute agile, a-t-il renchéri. Se voyant coincée, elle a lancé: moi j'ai une cliente, mes amis, qui a 88 ans, et je vous jure qu'elle a la peau d'une petite fille de 10 ans. Il n'y avait rien à faire. Elle nous avait cloué le bec. Toujours aussi maladroit, au lieu de changer complètement la conversation, c'est ce qu'il faut faire devant autant de détermination à gagner, David poursuit en disant: Charles, raconte-lui quand elle t'a montré son émeraude. Alors je lui raconte appréhensivement qu'un jour que je lui avais apporté le catalogue Sotheby's pour la vente aux enchères de la succession de Jackie, en regardant les bijoux, elle me dit: Charles, est-ce que je vous ai déjà montré mes perles et mon émeraude? Je ne les porte plus, vous comprenez, je n'en ai plus l'occasion, et elle va dans sa chambre à coucher et en revient avec deux sacs en daim desquels elle jette négligemment sur la table un sautoir d'au moins un mètre et une émeraude encore plus grosse que celle que porte la Duchesse sur la photo que Cecil Beaton a faite d'elle et du Duc et que nous avons dans un cadre au salon. Tu exagères toujours, Charles, vraiment, ça ne peut pas être des vrais, voyons, personne ne garderait ça chez eux comme ça. Je te dis, des fois, vraiment t'es naïf. Les gens peuvent te raconter n'importe quoi. Le fait que Mme L avait chez elle, accrochés aux murs, cinq Riopelle, trois Borduas, quatre Marc-Aurèle Fortin et deux James Morrice ne l'avait pas impressionnée, et quand je lui avais dit que mon ami Gérald, qui était conservateur au MAM, avait estimé cette petite collection à plus de 2 millions $, elle avait répondu: oh Charles, tu exagères toujours, comment une personne ordinaire peut avoir chez elle pour 2 millions $ de peintures? Vraiment! C'est Claudette qui m'a tout enseigné de la classe moyenne. Après cette Saint-Jean-Baptiste, je ne l'ai jamais revue, ni Loulou. Une fois, elle a retéléphoné pour souhaiter bonne fête à David, c'est facile à se rappeler, le 31 octobre, l'Halloween. Et David a été très abrupt avec elle. Il avait compris ce jour-là qu'il valait mieux pour moi les fuir comme la peste, ces gens-là.

S&M étaient de cette catégorie aussi.

Je ne crois pas que nous gagnerons un jour sur eux. Je crois qu'ils finiront toujours par vaincre et se maintenir, à preuve toutes les révolutions de ce siècle qui n'ont mené qu'à leur plus grand triomphe. Je n'y crois plus d'ailleurs, je crois qu'elles sont inutiles. L'histoire l'a déjà prouvé trop souvent.

Mais rien n'empêche de mener contre eux une guerre en sourdine et d'en abattre quelques-uns à l'occasion pour donner la chance à certains d'entre nous de joindre leurs rangs, enfin ceux qui le désirent. Il y a longtemps que j'ai accepté que la vie est injuste et qu'elle le sera toujours. Il y a longtemps aussi que j'ai compris le sentiment de vengeance et le goût légitime de le mettre en action. Ici, on dit que la vengeance est douce au cœur du sauvage, c'est la version, je crois, de la vengeance est un plat qui se mange froid, mais il faudrait vérifier. J'avais donc trouvé l'arme avec laquelle j'allais me battre contre eux. J'en connaissais déjà un peu le fonctionnement, je ne me retrouvais pas ainsi en terrain inconnu. Et j'en avais observé la portée dévastatrice.

De toute manière, je crois que la vie se charge toujours de venger les malheureux et souvent bien plus cruellement que la main humaine ne saurait le faire. Mais je pense aussi, maintenant plus que jamais, qu'il est quelquefois, sinon toujours, doux de se venger soi-même, quitte à laisser au destin le soin de porter un coup plus atroce par la suite.

J'ai un oncle, c'est une histoire que mon père m'a racontée, qui a un jour tout perdu à cause d'une banque malhonnête. C'est un pléonasme mais passons. Mon oncle et ma tante avaient à l'époque sept enfants, depuis six, parce qu'une de leurs filles s'est tuée dans un accident de moto. Mon oncle avait plaidé auprès du gérant de la banque qui détenait l'hypothèque de leur maison, pour prendre avec lui des arrangements, le temps de se retourner, de mettre de l'ordre dans ses affaires. L'homme a été intraitable et a pris immédiatement les mesures pour les faire expulser le plus vite possible. Le matin même où mon oncle a reçu l'avis du huissier de vider les lieux, c'était un superbe matin du début du mois d'août, une journée d'une rare beauté, la petite fille de trois ans du gérant a été laissée seule quelques minutes seulement pour que sa mère réponde au téléphone qu'elle avait oublié de sortir sur le patio, et elle a été retrouvée noyée dans la piscine familiale. C'était leur enfant unique. Elle avait trébuché en jouant. Sa mère ne l'avait pas entendue crier.

La vengeance que je leur concocterai plus tard, quand j'aurai presque terminé de changer toute ma clientèle francophone pour une clientèle anglophone qui finalement ne changera rien au traitement que je recevrai, tout, absolument tout étant dans la vie une question de classe, Karl avait donc raison, et non de race, m'aura été inspirée par eux-mêmes.

Chaque mois, Mario me demandait de lui faire un reçu falsifié avec le timbre de ma petite compagnie que j'avais appelée Max et les nettoyeurs, qui lui permettait de déclarer le travail que je faisais à leur résidence comme du travail que je faisais au lieu à leur bureau. Je n'avais jamais rien dit parce que, de toute manière, cette fraude ne m'affectait pas: il y a trois ans maintenant que je ne fais plus de déclaration d'impôt. Mais quand j'en ai eu marre, ras-le-bol complet, de leur merde entre autres collée partout dans les bols de toilette, le fond de leurs culottes, sur leur tête de lit et leurs draps, j'ai pris le téléphone et j'ai dit à Revenu Québec et à Revenu Canada tout ce que je savais de leurs magouilles, en commençant par les faux reçus qu'ils me forçaient à leur faire, les fonds cachés sous des noms d'emprunt, leurs employées déclarées à des salaires gonflés deux et trois fois, les clients dont ils n'avaient jamais fait état et qui se trouvaient cachés sur des disquettes entreposées avec les rouleaux de papier de toilette dans la grande armoire noire du fond et surtout toutes les transactions qu'ils faisaient avec leur plus gros client, Wineburger, un des cabinets d'avocats les plus importants à Montréal, les buildings achetés à gros prix et revendus à des prix dérisoires supposément, les comptes en banque aux États-Unis, enfin tout ce que je savais, assez pour qu'ils fassent enquête.

Je présume que c'est ce qui est arrivé.

Le vendredi matin suivant mes deux coups de fil, je leur ai remis le coup qu'ils m'avaient si souvent fait. Maintes fois, ils m'avaient téléphoné à la dernière minute, normalement justement le vendredi matin à 8 h pour me dire que cette semaine, ils n'auraient pas besoin de moi, qu'ils n'avaient presque pas été à la maison, qu'ils avaient passé la semaine au bureau, débordés de travail, ou le contraire, que cette semaine-là le bureau pouvait se passer de mes services parce que les employées avaient été mises en vacances forcées et que Sylvain avait épousseté un peu et vidé les corbeilles. Évidemment, ils ne me payaient pas. Je leur ai donc téléphoné à la dernière minute et laissé sur leur répondeur un message à l'effet que je n'irais plus jamais faire le ménage ni chez eux ni au bureau.

Parfois, mais rarement, la vie fait bien les choses. Dans la même semaine où j'avais donné mes deux coups de fil, j'avais décroché une immense maison à Westmount, trois étages. En une journée d'arrache-pied, j'allais faire ce que je faisais en deux jours chez les S&M.

Quelques mois plus tard, j'ai fait téléphoner Paul P., une connaissance à moi, à leur bureau. Ils avaient changé de numéro de téléphone et, quand il a demandé où il devait envoyer son C.V., l'adresse était celle de leur résidence.

David et moi sommes passés à leur ancien bureau du Cooper Building sur Saint-Laurent pour trouver sur la porte une affiche annonçant bureau à louer. Puis nous sommes allés jusqu'à leur apparte pour trouver là aussi une affiche sur laquelle était écrit condo à vendre, 3ᵉ étage, vue superbe sur la montagne, style loft, prix exceptionnel. Nous avons téléphoné au numéro – c'est-à-dire David – pour apprendre que ce n'était plus deux garçons qui étaient propriétaires mais un seul maintenant, et qu'il accepterait 199 000 $ quand, pendant les deux ans que j'ai travaillé pour lui, Mario ne cessait de me dire que leur apparte valait au bas mot 500 000 $ et qu'il pourrait l'avoir n'importe quand.

Il n'avait pas réalisé, lui non plus, à quel point Montréal s'était appauvrie. Il faut vivre bien en bas de la montagne pour s'en rendre compte. Finalement, l'affiche a disparu et David innocemment a sonné un soir à la porte. C'était toujours les mêmes stores vénitiens horriblement brun métallique dans les fenêtres et le jeune homme qui lui a répondu lui a dit que Mario n'habitait plus là maintenant et il est allé chercher la nouvelle adresse à laquelle il devait faire suivre le courrier. Nous nous sommes rendus coin de Bullion et presque Mont-Royal, l'adresse était à l'étage avec des petites lucarnes qui faisaient face à un garage de débosselage. C'était facile d'imaginer le bruit qui devait sortir de là le jour.

Rassuré, j'ai invité David à prendre un thé à notre café préféré sur Saint-Denis en face du Carré Saint-Louis.

Je n'ai jamais revu ni S ni M. Je n'ai aucune idée si S est encore à Montréal ou s'il est retourné dans sa Gaspésie natale. Et je m'en fous royalement.

# CHAPITRE 4

# Madame V

Il n'y a pas grand-chose à dire sur Mme V. Elle me traitait comme les autres. Sauf qu'en plus, elle me parlait au ralenti, en exagérant la prononciation de chaque syllabe. Au début, j'ai été très insulté jusqu'au jour où David m'a fait remarquer que quand je suis fatigué, mon léger accent britanno revient au galop. C'était sans doute ça et non pas parce qu'elle me prenait pour un idiot comme j'avais conclu probablement trop vite dans mon énervement.

Son mari et son fils étaient atroces. C'est rare que je n'aie pas le goût de baiser avec un homme mais ces deux-là, vraiment, c'était au-dessus de mes forces. Sauf que j'avais détecté dans l'œil de M. V, qui me fixait toujours la croupe quand sa femme me donnait ses ordres, une lueur de concupiscence à peine perceptible tellement il en était arrivé à bien la réprimer.

Un jour de canicule, alors que Mme V était allée au chevet de son frère en Californie – celui-ci avait eu un accident de voiture qui allait éventuellement le tuer –, je me suis retrouvé dans le bureau des V un dimanche matin à faire le ménage. Je savais que Monsieur était à la maison, j'avais vu son auto stationnée juste en face. Je me suis donc complètement déshabillé, ne gardant que mes petites culottes blanches usées à la corde. David dit que je mets trop d'eau de Javel dans l'eau. Il était 11 h et je transpirais de la tête aux pieds quand, par-dessus le bruit de l'aspirateur, j'ai entendu la porte s'ouvrir derrière moi.

Je savais que c'était M. V. J'ai fait semblant que je ne l'avais pas entendu et je me suis penché bien en avant, prétextant que je ramassais un fil blanc récalcitrant sur la moquette, pour bien lui exposer mon derrière. Je l'ai senti me le dévorer des yeux un moment puis il est allé s'installer discrètement dans son bureau.

Innocemment, je suis entré dans le bureau de Mme V et j'ai commencé à vider les corbeilles à papier dans un grand sac à vidange vert. J'exagérais beaucoup le fait que j'avais chaud en m'aspergeant le front continuellement avec des papiers essuie-tout tout en faisant semblant que je ne savais pas qu'il y avait quelqu'un dans le bureau d'en face. Il avait laissé la porte entrouverte et pouvait m'observer aller dans presque tout le bureau sauf au fond complètement qui se trouvait coupé de sa vue.

C'est là que j'ai commencé à épousseter, il y avait une bibliothèque pleine à craquer de livres de naturopathie, de pensée positive et d'astrologies de toutes sortes. J'avais enlevé ma petite culotte et je me dirigeais lentement vers l'aire de voyeurisme de mon vieux pervers.

M. V ressemble étonnamment à Charles Laughton, raffinement et culture en moins.

Je me suis présenté dos à lui dans toute ma nudité et j'ai poursuivi l'époussetage du bureau. J'avais une érection monstre et, n'y tenant plus, je me suis retourné d'un coup vers la porte pour aller chercher l'aspirateur que j'avais laissé dans le corridor. De retour dans la pièce – je prétendais toujours que je croyais être seul dans la place –, je me suis assis au bord du bureau de Mme V qui se trouvait face à celui de M. V et j'ai commencé à me caresser partout. Même si je gardais les yeux baissés, je voyais maintenant par en dessous qu'il était assis en face de moi derrière son bureau à se masturber allègrement.

Comme je ne voulais pas qu'il vienne avant moi, j'ai accéléré le rythme en me renversant vers l'arrière pour mieux lever mes jambes et exposer ma partie la plus intime à sa vue, ce qui m'a fait venir presque instantanément. J'ai un petit côté exhibitionniste.

M. V est venu lui aussi aussi discrètement que possible parce que je l'ai à peine entendu gémir. Et quand j'ai eu bien fini, sans avertissement, je me suis relevé brusquement et j'ai planté mes yeux directement dans les siens et je lui ai souri. Rouge comme un homard bien cuit, il n'a pas soutenu mon regard et s'est penché vers sa boîte de papier-mouchoirs pour s'essuyer le bas-ventre. Moi, je n'avais pas besoin, j'avais laissé tomber ma décharge directement sur la moquette. Je me suis relevé en sifflant la première chose qui m'est venue à l'esprit. Venir en public me fait souvent cet effet.

C'est le seul épisode digne de mention à raconter ici.

Nous ne nous sommes jamais recroisés. Mais chaque fois que j'y retournais, je souriais de le savoir en train de chier dans ses culottes.

À l'automne, Mme V est revenue – son frère était finalement mort – et elle et M. V ont donné plusieurs séminaires en naturopathie, sexologie, graphologie, caractériologie et autres. Les annonces dans les journaux leur avaient rapporté gros. Ce qui fait que je n'ai pas pu nettoyer le bureau, les cours ayant lieu les soirs et le samedi. Je ne suis pas allé pendant un mois, je crois, et un mois où ils ont été superoccupés.

Mme V est une grosse cochonne et je ne dis pas ça gratuitement ou méchamment. Mais une personne qui échappe une louche complète de sauce aux tomates dans la cuisine et qui ne se penche même pas pour ramasser son dégât et qui, au lieu, marche dedans toute une semaine ou qui n'a même pas la décence de nettoyer ses traces de merde dans le bol de toilette avec la petite brosse réservée à cet usage, juste à côté, est pour moi une grosse cochonne.

Après un mois donc ou peut-être même un mois et demi, j'entre finalement dans le bureau un samedi matin juste derrière le gros cul de Mme V qui me dit qu'elle n'a même pas eu le temps de rincer les tasses à café. J'inspecte rapidement les lieux et ce que je vois est écœurant. Je remets mon blouson, nous sommes tard à l'automne et c'est un automne froid. Je me dirige vers la porte de sortie. Mme V sort en trombe de son bureau: Charles, Charles, où vas-tu comme ça? Chez moi. Ah bon, et tu reviens quand? Je reviens pas, c'est trop crotté. Nettoyez-la vous-même votre merde, ou quelque chose comme ça, et je sors en claquant la porte. C'est la dernière fois que je suis allé chez les trois petits cochons comme je les appelais parce qu'ils étaient tous gros, le garçon aussi, et blancs comme lait, avec des petits nez tout aplatis. Et tous courts sur pattes. Mme V était la plus grande et elle ne faisait pas cinq pieds.

## CHAPITRE 5

# Mon premier Noël

J'aurais dû plutôt intituler ce chapitre «Mon premier Noël en français» parce qu'avec David dans ma vie, c'était le cas. Et nous avions décidé pour ce premier Noël ensemble de le célébrer comme il le faisait dans sa famille, avec les cadeaux à minuit. David et sa famille, sa mère surtout, ne s'entendent plus très bien. Je crois que Mme Lasalle a très mal pris que son petit David soit gai, elle qui l'avait couvé depuis sa naissance comme un petit poulet.

Elle et moi, de toute façon, c'est fini depuis que je l'ai mise à la porte la dernière fois qu'elle est venue nous rendre visite. J'en avais assez de ses remarques blessantes avec lesquelles elle postillonnait constamment David: mon Dieu que t'es maladroit, mon Dieu que t'as les cheveux longs, mon Dieu, David, c'est pas comme ça que je t'ai appris à manger. J'en avais assez et j'ai dit à David: écoute pitou, qu'elle te traite comme ça chez elle, ça ne me regarde pas, mais ici, je suis plus capable, et il m'avait donné son consentement. De toute manière, elle ne m'adressait jamais la parole: pas un Anglais, en plus, qu'elle avait dit à David quand nous nous étions connus et qu'il savait déjà que j'étais l'homme de sa vie et que moi je n'en étais pas encore sûr.

Alors, à sa dernière visite, en plein repas, j'ai attendu qu'elle ait terminé de dire à David que peut-être il n'était pas fait après tout pour travailler dans une garderie: qui t'a donné cette idée-là, pauvre toi, avec tes cannes en plus, je comprends le monde d'avoir peur de laisser leurs bébés avec toé, c'est comme ça qu'ils parlent dans sa famille, moé, toé, icitte, au boutte. J'ai déposé mon couteau et ma fourchette dans mon assiette, pour éloigner la tentation, et en la regardant dans les yeux, je lui ai dit pendant qu'elle prenait une gorgée de cola – elle déteste l'alcool: Madame Lasalle, je trouve que ce que vous venez de dire à David est offensant. Tout ce que vous lui dites, c'est pour le rabaisser. Je ne peux plus tolérer ça dans ma maison. Je suis obligé de vous demander de partir et de ne plus revenir. J'avais préparé mon intervention et l'avait mémorisée; c'est pour ça que ça ne sonne pas trop naturel. Elle s'est tournée pour regarder David qui ne la regardait pas et elle s'est levée sans dire un mot. Elle a refait ses valises et elle est partie sans oser claquer la porte.

Elle n'a jamais retéléphoné depuis mais elle envoie des cartes à David pour sa fête, Noël, Pâques, avec un chèque et David fait la même chose avec un petit cadeau. Une fois, il m'a avoué que le samedi, quand j'étais au bureau, il téléphonait à sa mère. Mais maintenant que je ne fais plus de bureaux le samedi, je ne sais pas ce qu'il fait.

Mais à notre premier Noël, cet incident ne s'était pas encore produit et David avait dit à ses parents qu'il n'irait pas cette année-là parce qu'il voulait passer les Fêtes avec moi. Notre premier Noël s'est donc passé à la canadienne-française.

Le 24 tombait un jour de semaine et Mme T avait exigé que j'aille chez elle après ma cliente régulière de cette journée-là, je ne me souviens plus de qui c'était, pour laver les salles de bains et la cuisine, épousseter le salon et la salle à manger et passer l'aspirateur partout. Oh oui, et laver et cirer le plancher du hall d'entrée.

Je suis sorti de là crevé. Il était 7 heures. Du soir.

Je viens juste de relire un peu mon journal pour me rappeler et à l'entrée du 12 décembre 1996, j'ai fait une erreur, j'ai écrit que Mme V m'avait donné une carte de Noël signée en rouge mais ça ne se peut pas parce que je ne travaillais plus pour elle, je l'avais laissée tomber la grosse torche à la fin de l'automne. Je ne sais plus qui m'a donné une carte signée en rouge cette année-là.

Quand je suis sorti de chez Mme T, j'ai sauté dans la voiture, j'avais pris l'auto pour ne pas perdre de temps entre ma cliente régulière et Mme T, et je suis rentré complètement lavé. David m'attendait avec impatience, lui.

On avait déjà fait le sapin la semaine d'avant. Avant de me connaître, David n'en faisait jamais un parce qu'il allait toujours passer les Fêtes dans sa famille en Abitibi, à Amos plus précisément. Mais moi je ne suis plus jamais retourné dans ma famille pour Noël après que j'ai connu Patrick. J'avais 22 ans. Et quand je l'ai laissé, j'ai continué à faire un arbre quand même, à New York et à Vancouver aussi.

J'adore Noël. Mon père et ma mère n'ont pas réussi malgré tous leurs efforts à me gâcher cette joie-là. Je ne sais pas pourquoi. Peut-être parce que mon anniversaire tombe deux jours après.

Alberto me trouve stupide et ne se gêne pas, évidemment, pour me le faire savoir. Je ne suis plus catholique depuis longtemps. Je me suis converti au Bouddhisme juste avant que mon père m'envoie ici à Montréal parfaire mon français. C'était la guerre du Viêt Nam et j'étais du côté des Viêt-congs. Ça faisait chier mon père et, pour le faire chier encore plus, j'avais appris le vietnamien, par moi-même avec des cassettes et avec l'aide de Tran, une copine de classe dont la mère était une cousine des Diem. Je n'ai pas de mérite, les langues n'ont aucun mystère pour moi. J'allais à toutes les manifs et, une fois, mon père m'avait emmené à une réception officielle aux Nations unies; il y avait là Madame Nhu, je me suis fait présenter, et elle m'a introduit à sa suite; nous avons parlé toute la soirée, en vietnamien, bien sûr.

Sur le coup, mon père avait été enragé parce qu'il avait su que ce que j'avais dit à Madame Nhu n'était pas très plaisant, mais dans les quelques jours qui ont suivi, il s'est calmé. Il a reçu tellement de félicitations à propos de son fils qui parlait si bien vietnamien que la vieille dragonne avait excusé mes propos révolutionnaires en les mettant sur le compte de ma jeunesse. J'avais 14 ou 15 ans je pense, ou peut-être même juste 13, je ne sais plus, et elle avait vanté à tous ceux qui voulaient l'entendre – ils étaient encore nombreux à l'époque – ce garçon qui avait un don si prodigieux pour les langues qu'elle espérait qu'il suive un jour les traces de son illustre père au Conseil des Nations unies. Ou quelque chose du genre. La pauvre, si elle me voyait maintenant.

Et c'est en apprenant la langue que j'avais appris aussi la religion. De toute manière, il y avait longtemps que je ne pouvais plus concevoir prier un Dieu qui n'avait même pas pu pardonner à une petite sotte d'avoir croqué dans une pomme. C'est comme ça que je suis devenu bouddhiste.

Aujourd'hui, pour moi, Noël, c'est la célébration du solstice d'hiver. Pas plus. J'ai beau l'expliquer à Alberto, lui dire que finalement je fais juste comme les Romains de l'époque avant que les Chrétiens ne s'approprient cette fête, il ne veut rien comprendre. Il me trouve hypocrite.

Moi pas. C'est pour ça que je fais toujours un arbre, pour célébrer la fête de la lumière. Et j'en mets des tonnes, de toutes les couleurs, c'est magnifique, et les décorations brillent le soir dans le noir quand j'éteins toutes les lampes de la maison pour ne laisser que le sapin allumé. Et je me suis aussi inventé une tradition.

Je n'ai jamais connu les parents de ma mère. Son grand-père au Havre, oui, pendant les horribles étés que j'ai passés avec lui, mais pas son père et sa mère. Ils sont morts tragiquement avant ma naissance. Je ne raconterai pas ça ici parce qu'on ne s'en sortira jamais. Une autre fois. Je ne connais presque rien d'eux, en fait presque absolument rien de mon grand-père et pas beaucoup plus de ma grand-mère sauf que j'ai vu une photo d'elle, prise juste avant qu'elle ne meure, et où elle ressemble à Colette sur la photo que Kertész a faite d'elle en 1930. Je sais aussi qu'elle jouait du violon, et très bien, parce que son père, mon arrière-grand-père que je détestais, avait été le prof de violon de Honegger et qu'elle faisait de la galantine.

Et c'est ce que je fais toujours la veille de Noël. Nous, les Anglais, on célèbre Noël le matin. C'est à l'aube qu'on va réveiller les parents parce qu'on est trop impatients de voir ce que Santa Claus nous a apporté. Et après les cadeaux, on déjeune.

Ma mère déteste cuisiner et elle cuisine horriblement mal. Je me rappelle les jours de congé de la bonne quand j'entrais à la maison les odeurs atroces qui parvenaient de la cuisine! Ma mère ne réussissait à merveille que deux choses: le gâteau des anges qu'elle faisait une seule fois par année quand j'étais petit pour l'anniversaire de mon père, et la galantine qu'elle préparait toujours la veille de Noël pour que nous la mangions le lendemain au petit-déjeuner après la distribution des cadeaux.

C'est cette tradition-là que je perpétue. J'aurais tellement voulu connaître ma grand-mère française. Mais je me dis qu'elle aurait peut-être été aussi désagréable que mon arrière-grand-père ou pire encore que ma mère. Ça me console vite.

C'est ce que j'ai fait en rentrant à la maison. J'ai commencé à préparer la galantine en prenant un verre de scotch avec David. En compromis, j'avais demandé que le réveillon soit très British, la bouffe je parle. Alors, on était allés chez Marks and Sparks durant la semaine et on avait acheté des plats surgelés. Je me rappelle seulement les saucisses enroulées dans une pâte graisseuse que nous avons mangées après les cadeaux.

Les cadeaux justement avaient été surprenants parce qu'on ne se connaissait pas si bien que ça encore. Je lui avais donné entre autres une casquette londonienne que j'avais payée une fortune en tweed gris haut de gamme qu'il ne porte plus maintenant mais que j'ai commencé à lui emprunter à l'occasion, je l'adore; et lui m'avait donné plusieurs choses aussi, mais en particulier une chemise italienne orange que j'ai trouvée beaucoup trop jeune pour moi, mais je ne le lui ai pas dit, et qu'il m'emprunte toutes les fois qu'on va au resto l'été, ce qui n'est pas aussi souvent que je le laisse sous-entendre. J'imagine qu'il l'adore lui aussi.

Et le lendemain matin – qui était bizarre pour moi parce qu'il n'y avait pas de cadeaux – nous avons déjeuné à la galantine. J'avais peur, mais David a été tellement impressionné qu'il l'a presque toute mangée à lui seul. C'est vrai qu'elle est très bonne, en fait, c'est la meilleure que j'aie jamais mangée. Ma mère m'aura quand même donné deux choses merveilleuses dans la vie: mes yeux mauves qui sont aussi magnifiques que les siens, et sa recette de galantine.

CHAPITRE 6

# Retour aux sources

À travailler comme je le faisais exclusivement pour des Canadiens français, il était inévitable que je finisse par réaliser que mon père n'avait peut-être pas eu si tort, après tout. Les Michel O. et les David étaient des exceptions.

Apprendre à vivre, ça ne se fait pas du jour au lendemain. C'est un très long apprentissage. Pour mettre les gages dans une enveloppe sans même y penser, il faut avoir vu sa mère le faire à maintes reprises dès son bas âge pour comprendre qu'on ne donne jamais d'argent à ses gens de main à main. Et qu'aux occasions: Noël, le Jour de l'An, Pâques, les vacances, ou encore quand la veille on a reçu vingt personnes à dîner ou qu'on a eu un visiteur à coucher dans la chambre d'amis, on prépare toujours une petite enveloppe spéciale en signe de gratitude pour le travail supplémentaire qui a été fait sans rechigner.

Les Canadiens français n'ont pas appris ces choses-là. C'est peut-être pour ça que mon père parlait toujours d'eux avec un certain dédain.

Aussi dans la façon de s'adresser à eux, toujours avec déférence, toujours avec reconnaissance, toujours avec un s'il vous plaît si cela vous est possible, si cela ne vous incommode pas trop suivi d'un merci, merci mille fois. Toujours. Ces gens-là n'ont pas grand-chose pour se valoriser, mon père disait. Il faut toujours leur montrer le plus possible qu'on apprécie leur travail. Tu sais, Charles, nous avons besoin d'eux autant qu'eux ont besoin de nous. Il ne faut pas exagérer, bien sûr, *but one has to be fair* et reconnaître leur labeur à sa juste valeur. N'oublie jamais cela, mon garçon. Si on les traite bien, ils nous traiteront bien en retour et tout le monde sera heureux.

Ce n'était pas le cas chez les Canadiens français chez qui je travaillais.

C'est sûr que je n'étais pas idiot non plus et que je savais que je ne travaillais pas pour la crème de la crème d'entre eux qui vivait dans les maisons accrochées au flanc de la montagne.

Mon père s'était toujours moqué des autres Outremontais qui vivaient en bas de la montagne. C'était sa cible préférée. Ici on dit péter plus haut que le trou. C'est dommage, je ne crois pas que mon père connaissait cette expression, tout ce qui était en bas de la ceinture lui déplaisait au plus haut point, en bon Anglais qu'il était.

À l'automne déjà, je les avais tous sans exception en horreur, S&M, Mme T, sa fille Sylvie, B.S. et Mme V. Même pas un an. Quand je me réveillais le matin, il me fallait puiser dans mes réserves de survie pour me tirer du lit.

Au printemps suivant, j'avais finalement réalisé que je m'étais trompé et que je n'avais pas le choix, qu'il me fallait retrouver mes sources et retourner chez mes compatriotes. Au moins, chez les miens, nous allions parler le même langage, au sens large du terme.

# CHAPITRE 7

# Plus ça change, plus c'est pareil

C'est comme ça que j'ai atterri chez Mesdames Z, F, et G, et plus tard chez MaryRose puis chez Mme von M. Madame Z a été la première. C'est elle qui a ouvert la période de transition et c'est elle qui a remplacé Madame V. Elle n'était pas anglophone mais Néerlandaise anglophile jusqu'à ses maigres os et comme presque tous les immigrants d'ici, francophobe. *More British than the Queen herself,* c'est ce qu'on disait d'eux à l'époque, mais plus maintenant. Ils sont beaucoup moins British et beaucoup plus au Canada parce qu'ils ne peuvent entrer aux États-Unis. Mais c'est un excellent pis-aller en attendant. C'est pour ça qu'au Québec ils préfèrent tous parler anglais. En attendant.

Mais j'aurai vite réalisé, une fois revenu dans mon camp, que finalement plus ça change, plus c'est pareil. Mes compatriotes n'avaient pas plus de compassion pour la situation dans laquelle j'étais si fâcheusement tombé. Sauf qu'eux savaient que l'argent ne se donne pas de main à main. C'est à peu près tout. Ils avaient la même façon de me garder à ma place, sauf qu'ils le faisaient avec plus de doigté, plus de savoir-faire, parce que justement ils en avaient l'habitude depuis longtemps et qu'on leur avait appris, comme mon père l'avait fait avec moi, à le faire avec le sourire, ce qui est très important. J'étais horrifié de m'apercevoir que dans mon propre monde je me retrouvais maintenant de l'autre côté de la glace.

J'avais l'impression que mes nouveaux clients avaient tous lu le *Household Management and Proper Relationship with Servants* de Beeton.

Les règles du jeu étaient clairement établies et il n'était pas question qu'ils me décommandent à la dernière minute comme les Canadiens français l'avaient fait avant eux. Au moins dans ce monde, je le savais, les règles du jeu seraient scrupuleusement respectées.

Sauf que cette fois, l'humiliation pour moi était encore plus grande. C'étaient mes propres compatriotes et ceux qui se targuaient de l'être qui me traitaient maintenant avec impudence. Chez les Canadiens français, à la rigueur, j'avais compris que peut-être ils prenaient sur moi, pauvre petit Anglais perdu chez eux, une revenge bien méritée. Je les en avais à moitié excusés, du moins dans mes bonnes journées. Mais ces gens n'avaient aucune excuse maintenant de me traiter comme ils avaient l'audace de le faire, comme un moins que rien, une merde.

Je me retrouvais carrément humilié par les miens et ne pouvant plus cette fois rejeter le blâme sur la différence de race ou de langue ou de culture, j'avais le sang qui bouillonnait constamment. Et un jour que Mme Z a été particulièrement abrupte avec moi, je crois qu'elle m'avait lancé son trousseau de clés à la tête pour capter mon attention, son aspirateur faisait tellement de bruit, ce sang qui bouillait en moi depuis un certain temps m'est comme tout d'un coup monté à la bouche. C'était un après-midi ensoleillé, je me souviens, et je pouvais le goûter salé et épais.

Moi qui avais cru dans mes élucubrations d'enfant que j'étais une réincarnation de Marie-Antoinette, je me suis vu soudainement en Théroigne de Méricourt, tricotant aussi près que possible de l'échafaud pour pouvoir tremper dans le panier des têtes coupées mon tricot ou sinon au moins, être aspergée du sang qui giclait toujours quand la tête se séparait du tronc comme je l'ai lu quelque part. Était-ce possible qu'enfant je m'étais trompé à ce point? Et après cet après-midi-là, chaque fois qu'une de mes clientes me disait *Charles, please, would you mind washing all the baseboards today, they're filthy* ou *Charles, sorry, but last week I dropped some ketchup on the rug in my bedroom. Could you please get it out for me?* ou *Charles, I haven't had time to clean the fridge before I did all my grocery shopping, I forgot, but I thought, maybe you'd be an angel and do it for me? I know it's a lot but take your time, I don't mind if you stay later, I don't expect anyone tonight anyway, just tomorrow,* je me voyais assis au premier rang à les regarder une à une monter à l'échafaud et le plaisir que j'avais à imaginer voir leurs têtes être tranchées me faisait peur.

J'ai une anecdote à ce sujet. Elle est assez récente parce que j'en étais déjà rendu à me fouter d'eux carrément et je faisais les coins aussi ronds qu'il m'était possible de les faire sans que ça paraisse trop. C'était la canicule, une canicule de fin juin surprenamment lourde. J'étais chez Mme F qui ce jour-là où on annonçait 38 °C avait décidé de fermer la climatisation tôt le matin pour économiser et parce que le soir de toute façon elle partait à la campagne pour le week-end. On l'annonçait d'enfer à plus de 40 °C avec le facteur humidex.

Je commence donc par la cuisine comme d'habitude et à 10 h je suis trempé comme si j'étais passé sous la douche tout habillé. Mon t-shirt est d'une transparence indécente qui laisse voir mes mamelons en érection, mes bermudas me moulent les fesses comme quand j'avais 18 ans, j'ai les mollets ruisselants et le front me pisse tellement que je dois faire attention pour ne pas arroser le comptoir que je suis en train d'essuyer. La grosse Mme F passe à côté de moi pour sortir sur la terrasse et me dit en me jetant un coup d'œil: oh, ça pourrait être pire, Charles, ne fais pas cette tête-là, et du tac au tac, ce qui est rare chez moi, je lui réponds je ne sais pas pourquoi: oh oui, vous savez les étés 1793 et 1794 à Paris ont été des étés d'une chaleur insupportable et vous imaginez si j'avais travaillé pour vous avec la chemise au cou et le bas de soie, ç'aurait été terrible. Je lui tire un sourire ambigu et sur ma traînée je poursuis sans même penser à ce que je dis: c'est pas étonnant que les valets dénonçaient leurs maîtres et les envoyaient à la guillotine, c'était pas humain de les faire travailler comme ça. Son sourire niais se fige et je poursuis: mais ne vous inquiétez pas, *I would'nt have let you down like that*, je serais allé vous soutenir le bras pendant que vous seriez montée à l'échafaud. Et je mime le geste en ajoutant: saviez-vous qu'ils n'avaient même pas mis de rampe à l'escalier, il faut vraiment être méchant, et je pars à rire d'un rire si sadique que Mme F sort presque en courant et moi j'écoute mon rire qui ne semble pas venir de moi, comme si c'était quelqu'un d'autre qui riait, une certaine tricoteuse il me semble quand je m'écoute attentivement et longuement.

C'est comme ça que j'en suis venu à vouloir presque toutes les tuer et c'est comme ça que j'ai su qu'il fallait que j'arrête de travailler pour ces gens-là. L'épisode de Céline au Y revenait me hanter.

# CHAPITRE 8

# Madame T

Je ne descendais pas chez Sylvie qui habitait au sous-sol chaque fois que j'allais chez Mme T. Je dis sous-sol mais c'était davantage une cave avec une entrée privée en ciment creusée dans le sol et de minuscules fenêtres qui n'étaient jamais ouvertes, ce qui fait que l'odeur qui sortait de cet apparte quand Sylvie m'ouvrait la porte avec un grand sourire était presque aussi insoutenable que les effluves qui entouraient le refuge qu'Eva – l'itinérante dont on a tellement parlé il y a quelques années et dont on a perdu la trace maintenant – s'était construit au milieu des arbres dans un terre-plein qui séparait un grand boulevard, je ne me rappelle plus lequel.

De toute ma vie, je n'ai jamais rencontré une personne aussi sale, aussi désordonnée et aussi fuckée, comme on dit ici, que Sylvie. Elle vivait avec son chien, Boris, un doberman avec qui je la soupçonnais d'avoir des relations sexuelles. Elle venait toujours me répondre à moitié nue, le plus souvent avec une mini-robe de chambre qui la cachait à peine, une rase-motte comme j'ai entendu une fois dans une conversation entre deux machos.

Quand Mme T me demandait de descendre, c'était la plupart du temps pour nettoyer la cuisine ou la salle de bains ou passer l'aspirateur. Mais je n'arrivais jamais à faire beaucoup de travail parce que Sylvie m'accaparait tellement avec ses histoires, comme toutes les personnes seules le font, que je n'ai jamais eu le temps de faire le quart de ce que Mme T me demandait, ce qui n'importait pas parce qu'elle ne descendait jamais finalement. Quand j'ai su ça, je me suis dit *fuck* et chaque fois que Sylvie commençait ses baratinages, je m'arrêtais carrément pour me consacrer entièrement à ses confidences, ce qu'elle semblait apprécier grandement je pense.

Il aurait fallu qu'elle vît un thérapeute, elle en avait grand besoin. Comme ce n'était pas le cas, au lieu, elle déversait à un rythme époustouflant toute sa merde sur moi. Et quelle merde!

Elle ne parlait que de sexe et de sa mère. Elle l'appelait la vieille vache et m'a raconté à plusieurs reprises comment à 16 ans elle lui avait sauté à la gorge et que c'était seulement parce que son père l'avait assommée avec le rouleau à pâte que Mme T était en train d'utiliser au moment de l'incident qu'elle ne l'avait pas tuée. Après, elle avait été internée et médicamentée et encore elle devait prendre je ne me rappelle plus combien de pilules qu'elle ingurgitait toujours avec de grandes rasades d'alcool.

Avec ses 30 ans bien amochés, Sylvie était une femme qui avait déjà beaucoup de vécu et elle m'avait confié une fois qu'elle préférait le faire avec cinq queues mais qu'elle se contentait facilement de trois. Je n'entrerai pas dans les détails. Ça ne prend pas la tête à Papineau pour figurer où elle les mettait une fois qu'elle avait mis la main dessus.

En femme avertie, elle avait tout de suite senti qu'il n'y avait rien à faire avec moi et, à ma deuxième visite, elle m'avait demandé comment je trouvais son frère. Quand je lui ai répondu que je le trouvais bien de mon goût et que je le sauterais volontiers, sauf qu'il ne voulait pas et que jusqu'ici j'avais seulement réussi à ce qu'il se masturbe devant moi, la franchise de ma réponse l'a un peu désarçonnée. Je crois qu'elle n'avait pas été habituée à autant d'honnêteté dans son intimité, c'était peut-être ça l'origine de ses désordres.

Mais elle a vite repris ses sens et m'a posé mille questions, pas mille, j'exagère, mais beaucoup. À la fin, elle m'a demandé combien son frère me chargeait et quand je lui ai dit rien, elle a vraiment été étonnée parce que, d'habitude, il chargeait toujours, c'est ce que quelqu'un qui était un de ses habitués lui avait dit. Je me comptais extrêmement chanceux. D'autant plus quand par la suite il a continué son petit manège.

Madame T partait presque tout de suite après m'avoir expliqué en détail la liste interminable qu'elle m'avait préparée et ne revenait que quelques minutes avant mon départ, histoire d'inspecter mon travail, surtout dans les salles de bains. Dès qu'il entendait la porte se refermer, Benoît sortait de sa chambre flambant nu et se mettait à déambuler devant moi en se retournant et en s'étirant dans tous les sens. C'était une petite crapule tatouée et musclée tout en long, mince et compacte, avec des fesses à faire baver et des touffes de poils bruns posées stratégiquement aux endroits normalement convoités par les plus fins connaisseurs.

En fait, j'avais laissé entendre à Sylvie que Benoît ne voulait pas que je le saute mais ce n'était pas vrai. Nous n'avions jamais échangé un seul mot. Je n'avais rien eu à faire non plus, c'est lui qui faisait toujours tout et quand j'y pense aujourd'hui, je n'en voulais pas plus. Peut-être que s'il s'était avancé et qu'il s'était penché pour que je lui grignote le beigne, je l'aurais fait. Fort probablement. Mais le numéro qu'il me donnait me suffisait. Je ne me touchais même pas, j'étais trop fasciné de le voir se donner à moi de la sorte en spectacle.

Après sa parade, il se plantait devant moi, directement à deux pieds tout au plus, et il commençait à se jouer avec. Je ne le regardais jamais dans les yeux et quand il était bien bandé, il n'était pas superéquipé, il faisait plutôt poids coq, mais ça n'avait aucune importance, il se mettait à se zigonner furieusement d'une main pendant qu'il se caressait les gosses de l'autre et, dans le temps de le dire, il produisait deux ou trois petites flaques qui tombaient par terre et que j'essuyais quand il se retournait pour aller se doucher.

L'idée de goûter à son sperme ne m'est même jamais venue à l'esprit. Quand j'y repense finalement, ce n'était vraiment pas si excitant que ça. Je ne bandais pas, je me rappelle très bien. J'étais plutôt hypnotisé par son rituel et je ne comprends toujours pas pourquoi.

Que de choses restent mystérieuses dans une vie.

Sylvie m'avait raconté que Benoît aussi détestait sa mère et que c'était pour la faire chier, c'était son explication à elle, qu'il était devenu un petit bum. Jamais elle ne m'a parlé de son père. Pourtant, M. T vivait toujours en haut avec Mme T mais c'était comme s'il n'existait pas. Quelqu'un m'avait dit que de toute façon il allait aux danseuses deux, trois fois par semaine et qu'il n'avait pas eu de sexe avec la vieille depuis au moins 15 ans.

Puis le jour où j'ai su que c'était mon dernier chez eux, je ne sais pas ce qui m'a pris, dès que j'ai entendu Mme T refermer la porte derrière elle, je me suis précipité dans le frigo et j'ai sorti le pot de mayonnaise. Benoît paradait déjà dans le corridor quand je me suis mis à genoux devant lui comme je le faisais d'habitude. Et quand il a commencé à se faire bander, j'ai ouvert le couvercle et j'ai porté le pot juste à la hauteur de sa queue. Pour la première et dernière fois, nous nous sommes regardés et nous nous sommes souri. En trois secondes, il est venu dans la mayonnaise. Je suis retourné dans la cuisine pour bien brasser le tout, j'ai revissé le couvercle et j'ai remis le pot dans le frigo.

Je suis tout de suite descendu chez Sylvie. Quand je lui ai raconté ce que Benoît et moi venions de faire, elle est restée estomaquée et c'est la bouche encore grande ouverte que je l'ai laissée et que je suis remonté. Quoique quand j'y ai repensé après, je me suis demandé si c'était ce que je lui avais dit qui avait causé cette réaction-là ou la morphine qu'elle venait juste de se shooter parce que ça sentait encore très fort quand elle m'avait ouvert la porte.

Je ne l'ai jamais revue, ni elle, ni Benoît, ni les T. Je les avais remplacés par Mme F.

# CHAPITRE 9

# MaryRose

C'est Mme F qui m'avait recommandé à MaryRose. Elles avaient été travailleuses sociales dans le temps au Ville Marie Social Services qui n'existe plus aujourd'hui. MaryRose est prof maintenant de travail social à McGill et complètement alcoolo. Elle a une forte propension au vin rouge italien qu'elle consomme en quantité industrielle et n'arrête pas de dire qu'elle n'en peut plus d'entendre les problèmes des autres, ce qui a l'effet qu'elle désire parce que je ne lui raconte jamais les miens même quand j'ai eu l'accident de voiture qui a démoli ma vieille Chevette. Elle a quand même quelque chose de sympathique, et faire le ménage chez elle n'est pas si mal parce qu'elle n'est vraiment pas difficile. Elle s'en fout carrément, c'est pour ça qu'elle m'a embauché.

Finalement, MaryRose est la moins chiante de toutes les clientes que j'ai eues jusqu'ici.

Elle est mariée à un pétard russe, Sacha, qui la trompe avec presque toutes les femmes qu'il rencontre. C'est ce qu'elle m'a dit un jour qu'elle était restée à la maison avec une gueule de bois monstrueuse.

Ils ont deux enfants, Misha et Katrina, et c'est par Katrina, qui est l'amie des jumelles qui sont dans la même classe qu'elle, que j'ai mis les pieds chez Mme von M.

Une fois que nous parlions tous les trois de vacances au bord de la mer, ils m'avaient demandé si je connaissais des endroits où aller dans les Maritimes, c'était un midi en juin pendant que je mangeais mon sandwich et que les enfants étaient encore à l'école, et Sacha en parlant comme ça a dit que ce qui l'étonnait toujours quand ils allaient à la mer aux États-Unis, c'était de voir comment il trouvait finalement que les Canadiens français avaient beaucoup plus d'affinités avec les Américains qu'avec nous, les Canadiens anglais. MaryRose a fait une grimace en prenant une autre gorgée de vin mais moi j'ai pensé que c'était intéressant de constater que, quand on avait le moindre recul, on finissait, semblait-il, par voir la même chose en bout de compte. Ça m'a fait sourire. Et dans le métro, j'y ai repensé et je me suis dit que si c'était moi, j'aimerais bien mieux qu'on m'appelle Franco-Américain que Canadien français. Canadien français est tellement péjoratif il me semble.

# CHAPITRE 10

# Madame von M

J'ai toujours aimé faire plaisir aux gens et j'ai toujours cherché en général à leur plaire. On m'a longtemps dit que j'étais charmant mais j'ai remarqué dernièrement qu'on me le dit beaucoup moins souvent maintenant. À une certaine époque, celle de McGill et Parker en particulier, on me trouvait aussi tellement attentionné, poli, bien éduqué, cultivé et raffiné qu'on me disait souvent que je devrais songer sérieusement à faire carrière en diplomatie. Aujourd'hui, j'en ris, je me dis: mon Dieu, j'aurais sûrement réussi à faire déclencher une guerre mondiale.

C'est donc parce que malgré tout j'ai conservé au premier abord une gentillesse qui impressionne encore que je n'ai rien dit tout de suite lors de ma première visite chez Mme von M quand j'ai remarqué sur le piano une photo de son père en uniforme nazi. J'ai dû apprendre très tôt à camoufler mes réactions. En faisant le tour de son immense maison, nous avons échangé un peu en allemand. Il me reste encore des bribes des quelques cours que j'ai suivis à l'Université d'Ottawa et, mine de rien, pour la mettre à l'aise, pour être gentil, quoi, quand elle m'a félicité parce qu'elle trouvait que je ne me débrouillais pas si mal dans une langue que je ne pratique jamais, sauf quand j'écoute des lieder et des opéras à la radio, j'en ai profité donc pour lui mentionner que M. Kohr, qui avait été mon tuteur à l'université, avait été aussi le dernier secrétaire privé de Hitler. C'est vrai, c'est lui qui avait soigneusement caché de son mieux tous les documents qu'il nous reste du bunker aujourd'hui et c'est pour ça j'imagine qu'il s'en est si bien sorti. Il ne m'en a jamais beaucoup parlé. Il m'avait juste dit aussi que c'est lui qui en avait fait la traduction pour les Alliés. C'était un sujet délicat et ce l'est encore. Mais Mme von M n'a pas bronché. Ça ne m'a pas rendu plus sympathique à ses yeux, je l'ai vu tout de suite dans son regard.

Une autre fois qu'elle m'avait entendu parler à David au téléphone pour lui dire que je serais en retard à un rendez-vous qu'on s'était donné parce qu'elle m'avait demandé de nettoyer je ne sais plus trop quoi, je pense le chandelier de cristal dans le hall d'entrée, elle m'a dit en allemand: Charles, vous avez un accent très français, n'est-ce pas? et je lui ai dit que j'avais passé mes étés au Havre avec mon arrière-grand-père et, histoire encore d'essayer de la mettre à l'aise, j'avais rajouté qu'il avait collaboré pendant la dernière guerre et que nous avions dans notre album de famille des coupures du *Matin*, du *Je suis partout* et du *Signal* le montrant serrant la main de Hitler quand il est allé au Havre et que, de toute façon, tout le monde en France avait collaboré à sa manière. J'avais vu sur sa table de chevet le livre *Hitler's Willing Executioners* et j'avais lu dans le supplément littéraire du *NY Times* que l'auteur y disait que finalement tous les Allemands savaient, etc. On a déjà entendu ça des milliers de fois. Mais cette confidence-là non plus ne l'avait pas émue.

Ils sont incroyables ces Allemands. Quand j'avais terminé, elle passait toujours le doigt sur la commode dans le hall d'entrée pour vérifier si je l'avais bien nettoyée avant de me tendre l'enveloppe avec le chèque dedans. C'était humiliant. Une fois, elle m'avait demandé de laver le dessus des armoires dans la cuisine et, quand j'ai eu fini, elle est montée elle-même dans l'escabeau pour voir si j'avais bien fait le travail.

Je détestais aller chez elle, mais ils me payaient très bien, 100 $ pour la journée de 9 h 30 à 5 h 30; normalement je terminais à 2 h 30 quand les clients n'ambitionnaient pas et ils me donnaient 50 $. C'était vraiment pas mal quoique je n'avais jamais le temps de manger, sauf juste comme ça un peu sur le pouce.

Son mari, qui était son deuxième, était un peu plus plaisant qu'elle. Il y avait eu entre nous instantanément cette camaraderie masculine que les femmes d'ici reprochent tellement aux hommes. Il était à la retraite et s'ennuyait. Alors, quand j'arrivais, je commençais toujours par la cuisine, il venait me rejoindre et me demandait comment ça allait puis nous jasions, comme David dit, de tout et de rien, quinze, vingt minutes. Après, il disparaissait.

Les jumelles n'étaient pas de lui. Je n'ai jamais vu de photo de leur père, mais il ne devait pas être très bel homme, parce que Mme von M était plutôt belle femme, elle. Elle les avait eues sur le tard parce qu'elle avait mon âge et les jumelles avaient 12 ans quand j'ai commencé à travailler pour eux.

Elles étaient exécrables comme toutes les petites filles de famille riche. Je dis riche parce que, de tous mes clients, les von M avaient la plus grosse maison. Elle n'était pas spécialement joliment décorée, ses meubles à lui, victoriens, n'allaient pas vraiment avec les siens à elle, rustiques allemands incrustés de tuiles blanches et bleues, et ils les avaient mis partout dans la maison à la va comme je te pousse, ce qui donnait dans certaines pièces des surprises fort désagréables. Mais l'argent n'achète pas le bon goût, tout le monde sait ça. Je dis riche aussi parce que M. von M une fois s'était échappé et m'avait dit qu'il touchait 120,000 $ de pension par année et je savais que Mme von M était la meilleure et la plus ancienne prof au Goethe Institute. Ça se paie, ça. En plus, tous les quatre allaient chaque Noël faire du ski deux semaines à Whistler en Colombie-Britannique et, tous les étés, ils partaient un mois en Europe. Pendant ce temps-là, Mme von M me laissait des listes interminables de choses à faire, comme vider les garde-robes de la maison pour les nettoyer à fond, ce que je ne faisais jamais et qu'elle n'a jamais su, je me demande encore par quel miracle. Ce mois-là, je me la coulais douce. J'arrivais tard et je partais tôt. Et comme les chats étaient en pension, la maison ne se salissait pas. C'était le paradis. Dès leur retour, je retombais en enfer.

Mais j'ai eu sur elle une douce vengeance, probablement la plus cruelle de toutes.

J'ai dit que les jumelles n'étaient vraiment pas jolies. Il y en avait une quand même qui était brillante, c'est MaryRose qui me l'avait dit, Cristina, et elle jouait du piano divinement. Des fois je l'entendais répéter juste avant un concert et c'était impressionnant. L'autre, Elisabeta, était justement bêta, plus grosse que sa sœur et tellement pleurnicharde qu'à l'école apparemment personne ne voulait être son amie. Elle, je l'avais spottée, comme on dit ici, et elle me tombait spécialement sur les rognons. Parce qu'à l'occasion, peut-être six ou sept fois, il était arrivé que le vendredi mesdemoiselles ne soient pas allées à l'école, soit parce que c'était congé, soit parce qu'elles étaient supposément malades.

Ces jours-là, quand je montais à l'étage, Cristina fermait toujours sa porte et restait cloîtrée jusqu'à ce que j'aie terminé et redescende. Mme von M me disait ces matins-là de laisser faire leurs chambres, que je pourrais les nettoyer à fond plutôt la semaine d'après. Mais Elisabeta, elle, laissait toujours sa porte grande ouverte et se morfondait sur son lit comme une grosse limace gluante. Et me regardait suer avec tout le dédain que les petites filles de cet âge-là ont déjà eu le temps de culti-ver. Une fois qu'elle me regardait de la sorte, je m'étais retourné pour qu'elle me voie bien et, mine de rien, tout innocemment, je m'étais mis à me décrotter nonchalamment et longuement le nez et à déguster du doigt ce que j'y trouvais jusqu'à ce qu'elle ne puisse plus supporter et descende je ne sais où rejoindre son beau-père.

J'avais justement remarqué ces vendredis-là l'affection particulière qu'elle avait pour lui. Il semblait être le seul dans son petit monde à pouvoir la supporter.

J'ai dit que c'est grâce à MaryRose si j'avais eu les von M comme clients. Chaque fois que j'allais chez elle, elle me demandait comment c'était chez les jumelles, si tout allait bien et en profitait pour me don-ner ces petits potins dont j'ai parlé. Je crois qu'elle se sentait coupable de m'avoir jeté de la sorte dans la gueule de cette louve.

J'avais comme principe de ne jamais parler d'une cliente à une autre.

Mais un jour que Mme von M avait été le vendredi précédent par-ticulièrement raide avec moi, j'ai dit à MaryRose, chez qui j'allais tous les lundis, quand elle m'a demandé comment c'était chez les jumelles, de ne pas le répéter à personne mais que je croyais qu'il y avait quelque chose de louche entre M. von M et Elisabeta. C'était vrai mais mon ton avait un soupçon d'inceste déjà consommé alors que je ne crois pas que c'était le cas, pas encore du moins. Et je lui ai fait promettre de ne ja-mais dévoiler de qui elle tenait cette allégation.

Mme von M ne l'a jamais su, j'en suis sûr, parce que j'ai continué à travailler pour elle comme si de rien n'était. Sauf que dans les semai-nes qui ont suivi, j'ai commencé à remarquer qu'elle était de plus en plus pochée. Quand je lui ai dit un jour en quittant de faire attention à elle, qu'elle avait l'air épuisée, elle m'a répondu de ne pas m'inquiéter mais qu'elle avait quelques problèmes personnels à régler. Ensuite, ils ont fait chambre très à part, M. von M dormait au sous-sol. Puis, il est parti. Et pas longtemps après, ses meubles aussi.

Finalement, la maison a été mise en vente. Mme von M ne m'a jamais parlé de ce qui se passait et moi j'ai fait semblant qu'il ne se passait rien de spécial. Elle m'a tout simplement rassuré un jour que je quittais qu'elle continuerait toujours à avoir besoin de mes services. La maison a été vendue très rapidement, ce qui m'a surpris parce que le marché immobilier était encore à son pire et j'en avais conclu qu'elle l'avait été à perte comme tout ce qui se vendait à ce moment-là. Elles sont déménagées toutes trois peu de temps après, temporairement, dans un immense appartement toujours dans Westmount, en attendant de trouver une maison de taille plus modeste, c'est ce que Mme von M avait dit à MaryRose qui me l'a répété. Elles sont toujours là et je n'ai jamais su au juste ce qui est arrivé. Je ne le saurai probablement jamais parce que je n'ai jamais osé le demander à MaryRose. Tout ce que je savais, c'est que j'étais bien vengé et qu'en plus, depuis le début de ses troubles, Mme von M avait beaucoup relâché la surveillance et la supervision de mon travail, comme si elle me faisait enfin confiance.

# CHAPITRE 11

# Madame G

J'ai eu Mme G par Mme F aussi, que j'avais trouvée, elle, par le journal de Westmount, l'*Exterminator*. Toutes ces pouffiasses se connaissent. Et comme Mme F était supercontente de mon travail, elle a dit au téléphone à Mme G qui venait de se faire plaquer par sa femme de ménage, j'aurais dû me méfier, qu'elle avait justement devant elle la solution à son problème: j'étais en train de passer l'aspirateur à quatre pattes dans son salon.

Mme G ressemble un peu à Simone Signoret vers la fin mais en pas mal plus blondasse et pas mal plus en chair. Elle doit faire au bas mot, David et moi l'avons décidé, 250 livres à jeun.

Elle est mariée à un homme beaucoup plus gros qu'elle. David m'a parié 20 $ que Monsieur G pèse dans les 350 livres mais moi je maintiens qu'il est plus près de 400. Nous n'avons jamais eu l'occasion de vérifier encore qui de nous deux avait raison, à 10 livres près. En des temps plus minces, ils avaient réussi à donner naissance à un baleineau que je n'ai jamais eu l'occasion de rencontrer, Dieu merci, et qui est dans la marine canadienne stationné à Esquimalt. Évidemment, maintenant ils font chambre à part et je soupçonne Monsieur de s'amuser avec les petits garçons, mais je n'ai aucune preuve.

Mme G est députée au Parlement du Canada mais elle est toujours à la maison à se reposer et à me dire: vous savez, Charles, le genre de travail que je fais, c'est très épuisant, vous n'avez pas idée. En insinuant que ce que je fais, moi, c'est une sinécure.

Un jour, en faisant le ménage, par accident, j'avais trouvé sur le buffet de la salle à manger qui est toujours dans un désordre capharnaesque une lettre d'un sénateur canadien adressée personnellement et confidentiellement à Monsieur G pour le remercier de l'avoir si bien aidé à se sortir de l'embrouille dans laquelle il s'était retrouvé. Ce sénateur avait été accusé d'association mafieuse, toute la presse en avait largement parlé, et avait été acquitté grâce, entre autres, au témoignage de Monsieur G, ce que je ne savais pas.

J'ai tout de suite compris que les G trempaient dans des choses bien plus suspectes que je ne l'avais cru et que peut-être finalement les mallettes qui se trouvaient doublement verrouillées et enchaînées au fond de la garde-robe de Monsieur et qui m'avaient toujours intrigué cachaient d'autres secrets et pas seulement des centaines de polaroïds de jeunes garçons attachés et fistfuckés que mon intuition y avait imaginés empilés, classés et catalogués selon les modèles payés pour la circonstance. Je n'avais jamais osé même toucher à ces mallettes de peur que mes empreintes digitales ne me mêlent à ce sale commerce.

Les G me dégoûtaient. Puis un jour j'ai réussi quand même et sans danger pour ma santé à me concocter une toute petite vengeance. Aux dernières élections, le premier soir à la télévision, au cours d'une émission d'affaires publiques, on nous a présenté les candidats de la région métropolitaine. Madame portait un affreux tailleur vert pomme qui lui donnait un teint absolument maladif. David a passé la remarque qu'il faudrait le lui dire. Ce que j'ai fait à ma visite suivante. Je l'avais réveillée comme d'habitude. Vous savez, Charles, une campagne électorale, vous n'avez pas idée, hier soir je leur ai dit: moi je rentre, je suis crevée, il était 7 h et vous savez j'étais là depuis 6 h du matin. Elle me prenait pour une valise en plus.

Pendant qu'elle prenait son café donc, je lui ai dit qu'on l'avait vue à la télé et que ce tailleur vert pomme lui donnait une mine si radieuse que David m'avait demandé de lui dire qu'il fallait absolument qu'elle porte cette couleur plus souvent, que ça la rajeunissait de 20 ans. Ce qu'elle a fait, partout après quand on nous la montrait aux nouvelles du soir. Chaque fois, David et moi on jubilait. Elle s'en était acheté en plus toute une panoplie que j'avais vue dans sa garde-robe. Mais ça ne l'a pas empêchée de gagner quand même et par 7 000 voix dans un comté où elle ne réside pas en plus. Les gens sont vraiment cons. À moins que la mafia ne soit finalement aussi forte qu'on le prétend.

# CHAPITRE 12

# Madame F

J'ai relu le texte que j'ai fait parvenir aux journaux concernant Mme F.

Évidemment, je n'ai jamais su si mon texte avait été publié ou non. J'en ai écrit d'autres aussi, un en particulier sur le sort fait aux enfants dans les garderies. Parce que je pense que c'est important de dénoncer même si on n'a pas toujours de solution concrète à proposer. Pendant longtemps j'ai pensé que non, mais maintenant je pense que oui.

Je comprends que ce n'est pas tout le monde qui puisse le faire. Ça prend des moyens techniques comme un ordinateur, par exemple, ça prend aussi une certaine maîtrise de la langue écrite, ce que n'ont pas beaucoup de gens ici, et ça prend surtout le courage d'écrire ce qu'on a à dire. Je pense que c'est encore dangereux et que ce n'est pas pour rien que personne au Québec n'a osé écrire jusqu'à aujourd'hui que nous avons eu longtemps un premier ministre pédophile, en tout cas qui baisait avec des garçons qui n'étaient pas en âge légal et que si ç'avait été un autre, on nous l'aurait montré menottes aux poignets. Mais quand j'en ai parlé à des gens de Radio-Canada qui étaient venus faire un reportage au Y une fois pour mousser un marathon ou quelque chose du genre au profit de la sclérose en plaques, ils m'ont dit qu'il valait mieux que je me taise et le ton sur lequel on me l'a dit m'a fait craindre le pire si jamais j'avais le malheur de m'ouvrir la trappe.

Et il faut avoir du temps et le temps, c'est un luxe que peu de gens peuvent se payer surtout quand on entend à la radio en déjeunant le matin que juste pour atteindre le seuil de la pauvreté, 30 % de la population doit occuper au Canada deux et souvent trois emplois. Le plus beau pays au monde!

Voici le texte que j'ai envoyé aux journaux. Je leur proposais de me donner une chronique, une ou deux fois par semaine. J'avais choisi le titre «Vu d'en bas», mais je leur suggérais aussi «Chronique d'un homme de ménage». Ils ne m'ont jamais répondu.

### Vu d'en bas

*Cette semaine, gros cas de diarrhée chez les F. Les cuvettes des trois salles de bains sont dégueulasses. Il y a leur merde collée partout sous le siège et sous le rebord. Pas de danger que les trois grasses se seraient torchées un peu, non. Et Nancy a des pertes vaginales abondantes en plus. Une chance que je porte des gants.*

*Je suis dans une des salles de bains quand Madame F entre et me met sous le nez un morceau de papier où c'est écrit:* The Gazette, *les mots dits anglais. Je l'avais déjà entendue au téléphone tout à l'heure quand j'époussetais le hall d'entrée.* Michael was just on the phone now. What do you think? *Je ne sais pas si elle veut dire le Michael d'Alliance Quebec, Madame F en est une des fondatrices.*

*Elle pose son large derrière sur le bord de la baignoire. Madame F est juive. Elle est née à Montréal. Elle parle un français atroce qu'elle a appris en trois semaines en Guadeloupe. Elle ne fait toujours pas la différence entre l'imparfait et le passé composé.*

*Toute sa vie, elle a travaillé, en anglais évidemment, dans le réseau des services sociaux. Elle a même été directrice, les trois dernières années de sa carrière, d'une grosse agence anglophone.*

*Madame F s'emmerde à la retraite. Ses deux filles de vingt-quatre et de vingt-huit ans habitent toujours avec elle mais elles l'ennuient à mourir et je ne peux la blâmer. Alors Madame F est membre de tous les conseils d'administration et de tous les conseils et comités consultatifs qui lui demandent de se joindre à eux.*

*Ses deux filles me détestent et c'est bien réciproque. Elles sont jalouses parce que leur mère m'adore. Elle me raconte tout. Elle me dit toujours que je suis son ami. Ce que je trouve étrange.*

*Je travaille pour elle depuis deux ans maintenant.*

*Madame F est membre du Conseil ou du Comité ou de la Commission pour l'intégration des immigrants au Québec. Au printemps dernier, ce Conseil, Comité ou Commission devait entendre différents groupes défendre leurs mémoires lors d'audiences publiques. Elle m'avoue que ces mémoires étant tous écrits en français, elle ne pourra les lire et qu'elle demandera de se retirer de cette fonction.*

*Elle ne l'a pas fait, n'a jamais lu les mémoires, a compris ce qu'elle a pu de ce qui s'est dit aux audiences et a convaincu le président qu'il fallait absolument traduire en anglais le rapport qui sera présenté au gouvernement pour que tout le monde puisse le lire. C'est la grosse Nancy qui le fait maintenant.*

You know, Charles, most of these people don't speak French, you realize that.

*Vous vous demandez encore pourquoi l'intégration des immigrants à la communauté francophone est difficile au Québec?*

*Nous convenons finalement que la pub de* La Gazette *n'est pas tout à fait de bon ton. Madame F me demande si je peux suggérer autre chose. Michael attend son appel. Et elle aimerait l'impressionner. C'est ce que je crois sous-entendre. Je réfléchis tout en décrottant.*

*Première suggestion: Pour un oui, pour un non,* La Gazette. *Moue.*

*Deuxième suggestion:* La Gazette: *pour connaître tous les enjeux de la partie. Si on se parlait. Sourire, après que je lui ai fait remarquer: partie si on = partition.*

*Troisième suggestion:* La Gazette: *pour tous vos besoins. À côté, une photo d'un tas de marde et un rouleau de papier de toilette vide. Cri.*

*Madame F est sortie en trombe en hurlant* Really Charles. I just don't understand you. Really. *Elle ne peut pas comprendre que ma langue maternelle, dans mon cas paternelle plutôt, ne me met pas nécessairement du même côté qu'elle.*

CHAPITRE 13

# Madame Z

De toutes mes clientes, Madame Z est vraiment la seule que j'ai failli tuer.

Tout avait pourtant bien commencé. Grosse maison dans Ville Mont-Royal, assez beaux meubles, décoration passable très à la hollandaise, des couleurs vives, des jaunes, bleus, rouges, verts, avec beaucoup de tissus indonésiens orange et violets sur fonds crème ou grèges partout, drapés sur les meubles, tendus sur les murs, accrochés aux fenêtres. Cheminée dans le salon.

Tasse de café en arrivant – c'était la seule – dans la petite salle à manger en rotin. L'autre en acajou était réservée à de grandes réceptions qui n'étaient jamais données. Divorcée de son mari, ex-président de KLM, ils vivaient encore ensemble, lui relégué au sous-sol avec le chien. Elle aux deux étages supérieurs ensoleillés. Maigre en plus. J'aurais dû savoir.

Madame Z ressemble copie conforme à Greta Garbo sur la photo prise à bord du Bibo pendant une croisière avec Cécile de Rothschild au début des années soixante-dix. Passée date. Les lèvres toutes plissées et séchées. *Tight lipped*. Pingre. Desséchée. Avec encore une certaine beauté.

Au début, quand je quittais à la fin de la journée, elle me disait toujours, en me tendant le chèque dans une enveloppe, *thank you, thank you so much. Wonderful job*. Évidemment, elle avait tout vérifié derrière moi, pièce après pièce.

Puis, petit à petit, elle a commencé à me demander de laver les vitres des cadres accrochés aux murs à chacune de mes visites. J'ai commencé à quitter dix minutes plus tard que prévu. Puis de laver les carreaux de la salle de bains jusqu'au plafond, y compris le plafond au-dessus de la douche, à chacune de mes visites aussi. Je quittais maintenant à 3 h au lieu de 2 h 30 comme nous avions convenu lors de ma première visite.

Au printemps, j'avais eu le malheur, en regardant son jardin, de lui dévoiler que j'adorais jardiner. J'ai commencé à l'aider à planter ses annuelles, puis à transplanter ses vivaces et à la fin de l'été, je taillais sa haie et finissais souvent passé 5 h. Sans supplément, bien entendu.

David était furieux que je me laisse faire de la sorte. Mais avec ces gens-là, si on ne met pas son pied par terre tout de suite au début, on est foutu. J'étais foutu.

Au café, aussi, ses confidences étaient devenues de plus en plus embarrassantes. Sur son amant, Léon, qui la dégoûtait mais qui lui payait un voyage dans les Îles tous les hivers. Sur son fils aîné, elle en a deux, qu'elle détestait parce qu'il ressemblait à son père, physiquement. Sa seule vue lui donnait la chair de poule et son petit-fils, le fils de ce fils-là justement, qui manquait tellement d'attention qu'il était placé dans un centre pour jeunes psycho-sociopathes à Toronto et qui finirait un jour par se suicider et ce serait mieux ainsi. Un jour, elle trouverait bien l'occasion de le lui dire.

Ce qu'elle disait de son ex-mari était dans la même veine, un impuissant en puissance, probablement un homo réprimé, un bon à rien qui était arrivé à la tête de KLM par pur accident, aucun talent, un homme qui ne pouvait même pas visser une vis tout seul, quel ingénieur, quel idiot!

Avant qu'il ne devienne PDG de la compagnie à Amsterdam, Monsieur Z avait eu une affectation à Montréal. Au moment de prendre sa retraite, il avait demandé à son ex où elle voulait vivre et c'est comme ça qu'il lui avait acheté cette assez belle maison à VMR. C'était ici à Montréal qu'elle avait accouché en 1967 de son deuxième et dernier enfant, la prunelle de ses yeux.

Je l'ai vu une seule fois, la dernière fois qu'il est venu à Montréal avec sa femme Claudia montrer à ses parents leur petite-fille nouvellement née, Mieke. Ils étaient restés une semaine seulement. Quand ils sont partis, Madame Z était complètement épuisée. Elle m'avait dit que les bébés la fatiguaient beaucoup et qu'en vieillissant, c'était normal parce qu'avec l'âge, on voulait que les gens s'occupent de nous et pas le contraire.

Ce qu'elle m'avait caché cette première semaine après leur départ, c'est qu'elle avait eu une engueulade monstre avec Claudia. Elle l'avait accusée d'être tombée enceinte exprès pour lui voler son fils. Yuri et Claudia étaient mariés depuis quatre ans et ils avaient essayé supposément par tous les moyens, les jambes en l'air et tout mais jusqu'ici ça n'avait pas fonctionné. Elle lui avait crié que, de toute façon, c'est elle qui avait convaincu Yuri de retourner vivre en Hollande, pour l'éloigner d'elle, parce qu'elle savait qu'elle était la seule personne au monde qu'il aimait et que maintenant elle ne vivait plus que dans l'espoir qu'elle meure, la bitch, pour que Yuri lui revienne et qu'ils puissent reprendre leur vie ensemble.

J'imagine le silence dans la maison après cette scène parce que quand elle me l'a racontée, on en entendait encore la lourdeur résonner partout dans toutes les pièces. Son ex s'était barricadé dans le sous-sol et ne montait plus prendre ses repas avec elle. Il allait manger au resto. Il rampe, le serpent, il rampe qu'elle m'a dit avec son sourire de vampire.

Il lui donnait 40 000 $ de pension par année mais, Charles, on ne peut pas vivre avec 40 000 $, mon Dieu! juste mon club au Portuaire, c'est 3 000 $ et mon golf, 8 000 $. Ah, que je lui ai fait, vous allez encore au Portuaire? Madame G m'a dit que tout le monde va maintenant au Château Champlain. Pour la faire chier, parce qu'elle déteste être interrompue et que personne n'aime se faire dire que son club de santé, vraiment, ma chère, n'est plus à la hauteur, vous ne le saviez pas? Surtout pas par son homme de ménage.

Yuri était la prunelle de ses yeux. Bien avant sa débandade avec Claudia, Madame Z m'avait raconté que depuis sa naissance elle avait espéré que Yuri soit gai. Tous les soirs, elle avait prié pour que son vœu soit exaucé. Parce que *Charles, you know how gays are good to their mothers. They're so wonderful for them.* Quand je lui ai dit qu'il y avait dix ans que j'avais parlé à la mienne, elle est restée estomaquée. *Really, well, that's unfortunate Charles, because all the gay guys I know take such good care of their mothers.* D'ailleurs, ses deux meilleurs amis, Bruce et Giles, étaient un petit couple gai. Bruce avait travaillé pour elle lui aussi comme moi à son arrivée au Canada. Il était Américain et avait dix-huit ans. Pas trop joli. Il avait fait du ménage en attendant ses papiers. Quand il les a eus, il s'est trouvé un emploi et est maintenant gérant dans une banque quelque part à Montréal.

Un soir, Madame Z nous avait invités, David et moi, pour que David voie sa maison. Je lui avais dit que je la lui avais décrite et qu'il en mourait d'envie. Mais comme elle avait peur de s'ennuyer avec lui, *Charles, I like you very much* – je suis Anglo, il ne faut pas l'oublier – *but really David sounds so beneath you and the district where you live...* tout ce qui est franco ici est toujours *so beneath* pour ces gens. *Oh Charles, you're so exotic* qu'elle m'avait lancé sans intérêt. Pour ne pas s'ennuyer, donc, elle avait invité Bruce et Giles.

Soirée atroce. Personne n'a adressé la parole à David, surtout pas Giles, une horrible grande folle westmountaise qui ne s'est jamais donné la peine d'apprendre le français. Madame Z m'a dit de faire visiter la maison à David. Puis nous nous sommes installés au salon pour le café et le dessert. Au retour à la maison, David m'a dit: je ne veux plus jamais la voir, celle-là, tu m'as compris? Je savais qu'il s'était senti horriblement humilié.

Le lendemain, je travaillais chez elle. Au café, Madame Z me dit innocemment: ç'a été une belle soirée, hier soir, non? Oui, pas mal, que je lui ai menti. Comment as-tu trouvé Bruce et Giles? J'ai été un peu surpris. Je n'avais pas imaginé Bruce avec une moustache et je connaissais déjà Giles. Son système d'alarme interne sonnait, je le voyais dans ses yeux. Il valait mieux ne pas poursuivre la conversation dans cette voie. Je lui dis en diversion et par politesse donc que David avait beaucoup aimé la maison. Ah, mais c'est un ah d'ennui qu'elle a l'affront de me lancer et impoliment de surcroît. La rage me monte d'un coup à la bouche. La vache. Aujourd'hui, pourrais-tu relaver les vitres du salon et de la salle à manger? La dernière fois, tu les as loupées. Mais c'est que la condensation est entre les deux vitres, il n'y a rien à faire. On verra. Relave-les puis on verra si tu as raison. À l'extérieur aussi. Mais il fait un peu froid, non? Mon cher, ce n'est pas mon problème si tu as mal fait ton travail.

Je me lève et me dirige vers le sous-sol pour aller chercher les instruments de torture. Ma proie est bien endormie et quand je me retourne soudainement, elle porte innocemment à ses lèvres sa tasse de café. Oui, en fait, Giles, vous savez, je l'ai vu plusieurs fois dans un bain sauna où j'allais avant de connaître David. Les paupières ne bronchent pas, le regard est fixe, le coup a porté. Je l'ai reconnu justement parce que *his kick was that he liked being watched while he was getting fucked.* Je me rappelle très bien de lui. Les muscles du visage s'affaissent. Le deuxième coup transperce. David m'a dit qu'il vaudrait mieux en parler à Bruce peut-être parce qu'il se faisait toujours enculer sans condom. Le troisième coup *draws blood.* Enfin. Et que vous devriez dire à Giles de voir un médecin pour qu'il examine la grosse tache brune qu'il a à l'intérieur de la cuisse droite. Le couteau est entré jusqu'au fond. Madame Z est assise sidérée sur sa chaise comme une statue, la main droite tenant dans les airs immobile sa demi-tasse de café. Je me retourne parce que je ne peux plus retenir le sourire qui me vient du côté droit de la bouche. J'ai bien vengé David. Il ne le sait pas encore. Je lui réserve la surprise pour ce soir en rentrant du travail.

À chacune de mes prochaines visites, elle m'en redemande encore plus. Il fallait bien qu'elle se venge à son tour. Épousseter tous les moustiquaires de la maison, chaque fois, qu'il pleuve ou non, en dehors et en dedans. La semaine suivante, passer l'aspirateur au plafond de chaque pièce. Puis la semaine après, laver les cadres de porte et toutes les portes de la maison à chaque visite aussi, évidemment.

Un matin, son mari est assis avec nous pour le café, ce qui est rarissime. Avant que je ne commence le ménage, je dois l'aider à descendre un sofa-lit de la chambre d'amis, elle n'en a pas besoin, elle n'a pas d'amis, à la salle de télé adjacente à la cuisine. Je lui avais dit *but my back, I don't want to throw it out again,* surtout après l'épisode du jardin de Madame G. *Well, if you think it's too much for you, I'll understand. I'll find somebody else to replace you.* Comme Céline au Y: si t'es pas content, Charles, t'as qu'à partir. À 44 ans, c'était pas évident. Et elle ajoute en plus: de toute façon, depuis que tu fais le ménage ici, la maison est plus sale que jamais. En Hollande, les femmes de ménage lavent toujours tous les murs chaque fois qu'elles viennent chez vous. Monsieur Z a les yeux baissés. Vraiment, Ellen, je crois que tu exagères un peu quand même. Idiot, ferme-la, *shut up you stupid asshole. Nobody asked for your opinion. What do you know anyway? You're a no good stupid jerk, that's all you are. Why did I ever marry you?*, dans cette veine, sans arrêt, jusqu'à ce que Monsieur Z redescende au sous-sol.

Je descends presque tout de suite derrière lui. Je suis livide de rage. Comment avez-vous fait pendant toutes ces années pour ne pas la tuer? Il me regarde dans les yeux, étonné. Je n'y ai jamais pensé, qu'il me répond d'un sourire contrit. Je prends l'aspirateur et le seau et monte à l'étage. Madame Z est contrariée. Son sofa-lit ne sera pas descendu aujourd'hui.

Moi, j'y avais déjà pensé, de la tuer. Quand elle avait commencé à me crier après, *Charles, Charles did you do the bathroom yet? No, not yet Mrs Z. Gosh, you're slow today.* L'idée de débarrasser le monde de cette chipie avait commencé à germer à cette époque-là. Mais je n'avais pas de plan précis, seulement nettoyer l'humanité de cette ordure.

Peu de temps après, elle prenait l'habitude d'arriver derrière moi alors que je passais l'aspirateur, je ne l'entendais pas, et d'un violent coup de pied de l'éteindre en criant *are you finished with this room already?* Là, mon plan s'était précisé. Je voulais la pousser en bas de l'escalier. Le jour. La nuit, je rêvais que je l'étranglais avec le fil électrique de l'aspirateur. J'avais dit à ce moment-là à David qu'il faudrait que je trouve autre chose, que sinon tout ça finirait mal pour moi.

La semaine suivant cette dernière scène de Madame Z, je suis arrivé, j'ai sonné et il n'y a pas eu de réponse. J'ai pris ma clé, débranché le système d'alarme, et sur le comptoir de la cuisine, j'ai trouvé un billet de 50 $, Madame Z ne me payait jamais comptant, et une note de Monsieur Z me disant que sa femme était absente pour quelques jours. Le paradis. Musique plein volume, la maison est propre comme si personne n'y était venu de la semaine, même la salle de bains de Madame Z n'avait besoin que d'un coup de torchon sec. Les robinets étaient aussi reluisants que quand je venais tout juste de les frotter. À 13 h, tout est terminé, je saute dans le 93 Jean-Talon, et rentre à la maison.

La semaine suivante, même scénario, sauf que la note me dit que Madame Z est retenue pour quelque temps encore et S.V.P. de nettoyer le sous-sol seulement et de changer les draps de mon lit, mais attends pour faire la douche parce que je viendrai à l'heure du lunch. Merde.

Monsieur Z est un assez bel homme, pas un pétard, mais un homme comme on les utilise dans les pubs pour annoncer des retraites hâtives ou des assurances-décès. Ces hommes encore beaux. Grand, près de six pieds, blond, le blanc n'y paraît presque pas, il se garde en forme en allant au gym trois, quatre fois par semaine et en se rendant à son bureau à pied. Depuis sa retraite, Monsieur Z a un petit bureau de consultation en aéronautique. Il a une secrétaire, avec qui il baise, affirmait Madame Z qui la détestait. Quand elle téléphonait au bureau, ce qui était fréquent, deux, trois fois par jour, elle ne disait jamais bonjour, ne se nommait même pas, commandait brusquement de sa voix caverneuse *get him on the phone, right now*. Il avait déjà eu plusieurs maîtresses, toujours selon Madame Z, et elle le soupçonnait en plus d'aimer les garçons, mais je crois que je l'ai déjà dit, non?

Monsieur Z arrive à midi pile, me dit bonjour et qu'il ne restera pas très longtemps, qu'il veut prendre une douche et qu'il retournera au bureau aussitôt. Il me demande si j'aimerais lui faire un café et le lui descendre. Monsieur Z est vraiment charmant quand il est seul. Je mets l'eau à bouillir et époussette un peu le salon, histoire de montrer que je travaille. L'eau bout, j'entends la douche couler en bas, je sors le pot à café, le cône, le récipient en verre et le reste et je prépare le café. Comme je ne me rappelle pas ce qu'il prenait ce fameux dernier matin où j'ai vu Madame Z, je mets aussi du lait dans un crémier et le sucrier sur le plateau noir que Madame Z utilise toujours le matin pour notre café et une grande tasse. Je descends le tout au sous-sol.

Toutes les lumières sont éteintes. Et comme dehors il neige la première neige, c'est très sombre. Au fond, je vois que la télé est allumée. Je m'approche pour mettre le plateau sur la petite table entre les deux gros fauteuils en cuir noir.

Monsieur Z sort de la salle de bains derrière moi, une serviette enroulée autour de lui. Tu as apporté une tasse pour toi. Non? Bon allez, vite, je voulais que tu regardes ça avec moi un peu, et il pointe vers l'image de la télé. Comme je n'ai pas mes lunettes – elles sont dans mon sac à dos en haut –, je ne vois rien. Je monte chercher tasse et lunettes et je redescends. *Gosh.* C'est un film porno. Deux hommes. Monsieur Z est assis dans le fauteuil de droite, il n'a plus sa serviette, en fait il l'a déroulée. Tu aimes ça? Oui, énormément. Bon. Il verse les deux cafés.

Moi aussi, à l'occasion. Monsieur Z ne me regarde pas, il est hypnotisé par les images qu'il fixe sans bouger. Je prends mon café. C'est un de mes préférés. Regarde comment il le suce, une vraie salope. Regarde comment il ouvre la bouche, il aime ça, le petit cochon. Monsieur Z est bandé. Mais ça, c'est pas le meilleur encore. Le garçon suce et suce et l'homme qu'il suce lui vient finalement dans la bouche. Beaucoup parce que ça lui coule d'un côté. Monsieur Z prend une gorgée de café. Pas mal, hein? Ça t'excite? Il me regarde, mais je n'ai pas encore défait mon pantalon, ça m'en prend un peu plus. Deux autres garçons, un blond et un foncé. Au moins, on va pouvoir plus facilement savoir qui fait quoi à qui. Le blond est imberbe. Aucun intérêt. Le foncé est moyennement poilu. Je prends ma tasse de café. Monsieur Z est débandé. Il a le torse lisse, les cuisses couvertes de duvet et il me semble, dans la pénombre, les jambes blondes abondamment poilues. L'entrejambe n'est pas rasé, j'en suis sûr. Je commence à bander. À la télé, le blond mange le foncé jusqu'au fond. Ça ne m'impressionne pas et je prends une gorgée. Sa main se glisse dans la raie en gros plan, et un de ses doigts se fraie un chemin dans la sombre forêt jusqu'au bord du pré- cipice qu'il caresse un peu avant d'y plonger d'un seul coup rapide. Je défais mon pantalon, Monsieur Z jette un coup d'œil furtif à ma queue que je commence à caresser. *Don't come yet*, le meilleur s'en vient. Chan- gement de plan. Le foncé dévore la grosse queue blonde. Monsieur Z accélère le rythme. Le meilleur s'en vient. La bouche fraîchement rasée se retire et le blond se prend en main. La bouche s'ouvre toute grande et la langue sort en quémandant. Le premier jet vise directement le fond de la gorge, le deuxième laisse une grande trace blanchâtre dans la bou- che entrouverte et le troisième se dépose au milieu de la langue sortie, comme une généreuse portion de crème chantilly sur une pointe de gâteau à la cerise. Ah la pute, il aime ça, regarde-le déguster en fermant les yeux. Sa main va de plus en plus vite. Je l'imite. Viens pas tout de suite, le meilleur s'en vient. Le grand blond est agenouillé entre les jambes du noiraud et lui entre dans la rosette trois doigts bien sentis. Noiraud se branle, les jambes à moitié levées dans les airs et vient pres- que tout de suite en criant tout autour de son nombril duveteux. Je me suis arrêté parce que de voir ces doigts enfouis dans la brousse sombre m'amène au bord de l'explosion. Monsieur Z commence à râler. Le grand blond lèche goulûment le sperme blanc déposé par noiraud sur son flanc. Je me lève et j'ai juste le temps de m'agenouiller entre les jambes écartées de Monsieur Z et d'ouvrir grand la bouche que je reçois en pleine gueule une décharge d'une force et d'une copiosité qui m'indiquent que Monsieur Z gardait cette réserve depuis un certain temps déjà. Monsieur Z n'avait pas encore fini quand mon jet lui a tiré une première décharge sur la jambe droite puis d'autres synchronisées aux siennes qui ont atterri sur la moquette entre ses pieds. Sa crème hollandaise était onctueuse et douce amère comme je les aime. Madame Z avait donc raison.

Toute la semaine après, j'ai rejoué sans cesse cette scène en espérant qu'elle se reproduirait à ma prochaine visite. C'était la semaine juste avant Noël. Je revoyais la queue de Monsieur Z comme un petit boudin tout blanc et bien décapé. J'avais oublié que Madame Z m'avait dit qu'il était juif. En fermant les yeux, ses deux petites boules m'apparaissaient couvertes de leur lichen blondasse et je me prenais à rêver de les lécher et de les faire rouler dans ma bouche.

Plus le mardi approchait, j'allais chez Madame Z les mardis, plus mon imagination se débridait. Lundi, chez MaryRose, au milieu des détritus d'une réception de baptême, j'étais à m'imaginer Monsieur Z entrant à la maison à midi en compagnie d'un autre homme, un dégarni à l'air dégourdi. Ils passent en bas alors que je prépare le café et quand j'arrive avec le plateau, l'invité est déjà installé devant la télé, le torse et les jambes bien garnis de ce qui lui manque sur le dessus. Sous sa serviette, un monticule se dresse devant l'image d'un fessier poilu qui subit un ponçage de pieu en règle. Monsieur Z sort de la douche entièrement nu et je remarque ses belles grosses fesses bien bombées qu'il m'avait cachées la dernière fois. Le festin a fière allure.

Notre hôte ne perd pas de temps et prend une gorgée de café en s'assoyant dans un des deux fauteuils. Les jeux de mains commencent. L'inconnu se lève et se penche vers Monsieur Z pour goûter à son sexe dressé. D'où je suis resté à me déculotter pour laisser mon érection respirer, j'aperçois son bijou rose tendre apparaître dans un nuage de velours noir. Je ne peux résister à cette apparition. Je m'approche, m'agenouille, et de mes mains, écarte vigoureusement les éminences cambrées qui protègent l'accès à cette merveille. Et du bout de la langue, je communie en fermant les yeux pour mieux apprécier ce miracle de l'abandon qui ne tarde pas à me céder l'entrée dans ce saint des saints. De nos trois gorges s'échappent des prières de reconnaissance. D'entre les jambes écartées de ce colosse qui se dresse devant moi, j'aperçois, en prenant la relève du cérémonial avec mon doigt, sa bouche goulue qui avale la hampe de Monsieur Z.

Je joins ma bouche à la sienne puis la descends pour baigner les ampoules de Monsieur Z. Mes mains en même temps se sont glissées sous son saint siège et ont commencé délicatement la préparation du grand sacrifice. Pendant ce temps, mon diacre était passé derrière le fauteuil pour retenir bien en arrière les piliers du temple et dégager ainsi l'enceinte pour qu'elle reçoive mes hommages. Ce que je fis. Après avoir longuement oint de ma salive transsubstantielle le précieux réceptacle, j'enfouis d'un seul coup ma houppette jusqu'au fond et c'est ainsi que le sacrifice, dans mon imagination, fut enfin consommé. Monsieur Z m'avait offert sa virginité en expiation de tous ses péchés et mon cocélébrant s'assura ensuite de sa crosse que rien ne fût fait en vain et que la porte du tabernacle avait bien été ouverte à tout jamais. Puis de ma langue, je le rinçais pour ensuite recevoir son offrande.

Mais comme bien souvent dans le sexe, la réalité ne dépasse pas la fiction: à ma prochaine visite, Monsieur Z est arrivé seul et le rituel de la dernière fois a été répété verbatim, il n'a pas voulu laisser ma main explorer la vallée qu'il cachait de ses fesses serrées. Toute entrée dans le secret de sa caverne m'étant interdite, je me suis dépêché de le faire venir sans y prendre plaisir. Pendant que ses yeux allaient de la télé à ma bouche mollement entrouverte, je pensais à cet amas de terre que j'avais remarqué dans la plate-bande gauche du jardin et qui disparaissait maintenant sous une mince couche de neige. Je pensais qu'au printemps, il y aurait peut-être une légère dépression et qu'il faudrait probablement que Monsieur Z rajoute un peu de terre et quelques fleurs, qui, vu l'engrais qui se trouverait dessous, seraient assurément les plus belles et les plus fournies du jardin. Je pensais aussi qu'il était temps que je tire mon épingle de ce jeu dangereux. Quand enfin Monsieur Z me fut venu encore plus que la dernière fois plein la bouche, je pris mon courage à deux mains et lui dis que je ne reviendrais pas. Il n'a rien répondu puis s'est rejeté les deux jambes en arrière pour m'exposer un buisson blond cendré.

Je suis resté tellement surpris qu'il m'a fallu quelques secondes pour réaliser ce qui se passait. Puis je me suis jeté sur sa talle et me suis mis à la lui dévorer comme un ogre sur une proie beaucoup trop petite pour calmer son appétit. Les cris qui descendaient à mes oreilles n'étaient pas que de plaisir, mais je m'en foutais. Deux, trois fois, j'ai rejeté ses mains qui essayaient de calmer ma gloutonnerie. Rien à faire, je broutais plus fort tout en écartant de mes mains ses deux promontoires. Le bouquet était effectivement vierge et je n'arrivais pas à en dénouer le nœud. J'en eus finalement assez et me retrouvai assis sur les talons à me demander si, au printemps, Beau, le chien de Madame Z, se douterait de quelque chose et finirait par déterrer le paquet ou pire encore à trouver un os qui remonterait à la surface et exposerait le pot aux roses.

Pendant que je réfléchissais aux conséquences de mes gestes, Monsieur Z se laissa descendre tout doucement sur ma pine qui était restée devant son jardin secret toute dressée. Je bande facilement et je bande longtemps, mais généralement, ça ne veut rien dire. En se tenant d'une main appuyé sur mon épaule gauche, de l'autre il dirigeait mon piquet vers le trou que j'avais tant convoité et qui me laissait indifférent maintenant que je ne pensais plus qu'à me tirer de là. L'ouverture était exiguë et l'entrée se faisait ardument, sans lubrifiant. À peine un pouce était-il entré que Monsieur Z me dit qu'il était désolé, qu'il ne serait pas capable. Je lui souris, lui dis que ça n'avait pas d'importance et avant même qu'il n'ait le temps de faire quoi que ce soit, dès que je l'ai senti relâcher pour se dégager de ma branche qu'il avait tenté de se planter, je la lui enfonçai d'un coup en plein cœur. Monsieur Z a poussé un oh douloureux mais c'était fait, avec sa cerise bien embrochée sur ma brochette, un nouveau monde s'ouvrait à lui. Le dos arqué au max, tout en lui tournoyant lentement mon pieu empalé jusqu'au fond pour bien lui ouvrir l'orifice, je lui dis de relaxer, que le pire était passé. Au début, Monsieur Z ne bougeait pas, il râlait à peine et avait les yeux fermés. Puis, je l'ai senti commencer à mouiller et lentement, lentement, j'ai amorcé mon mouvement de va et vient qui l'a finalement fait rebander. La partie était gagnée. Je l'ai amené aussi loin que j'ai pu cette première fois et quand son liquide tout blanc est apparu presque sans avertissement au bout de sa tige, je me suis vite retiré pour lui sucer ce nectar de semence presque pure.

Puis nous nous sommes arrêtés un peu et Monsieur Z a mis un autre film porno. Trois hommes se sont mis à s'amuser sous nos yeux. Un blond comme lui, un foncé comme moi et un autre châtain, ce qui lui a donné le goût de l'amour à trois. J'ai téléphoné à la maison pour dire au répondeur que je serais retardé et Monsieur Z a téléphoné à une petite annonce qui fit irruption une heure plus tard.

En l'attendant, il nous avait servi quelques scotches et nous nous étions redouchés et enroulés dans des serviettes. Monsieur Z apprenait à savourer les plaisirs tout masculins. Il avait dans ses yeux rivés sur le trio en phase terminale une certaine lumière qui dansait et même ses épaules paraissaient moins affaissées. J'avais remarqué que ses fesses qu'il m'avait promenées, paradées, exhibées, écartées et offertes tout l'après-midi se cambraient maintenant automatiquement quand elles passaient nonchalamment devant moi pour remplir mon verre.

Monsieur Z monta répondre à la porte et redescendit avec un jeune homme pas aussi jeune qu'il le disait dans le journal mais avec une tête toute noire qui ressemblait étrangement à Fernandel. Monsieur Z lui offrit un scotch qu'il accepta et mit un autre film porno. Notre Adonis d'office sortit un joint de sa poche et nous le fumâmes à trois avec un autre scotch. Puis l'éphèbe annoncé se leva et commença à se dévêtir langoureusement. Il mit tout d'abord son torse rasé à nu. De toute évidence, il n'allait pas au gym trois fois par semaine comme il l'avait spécifié mais ses mamelons étaient gros comme des pièces de 25 cents et se détachaient presque noirs sur sa poitrine toute blanche. Les tétines étaient protubérantes et déjà j'avais le goût de les lui morsurer. Quand il a levé les bras, les poils sous ses aisselles étaient courts et clairsemés et j'ai pris note que je voulais y mettre mon nez. Il défit son pantalon puis, de dos, le laissa tomber par terre. Son slip était en filet blanc et quand il s'est penché, ses fesses nous ont sauté au visage comme si nous visionnions un film 3D. Il se releva et le fit descendre mais ne se repencha point. Il gardait le dessert pour la fin. Il se retourna la main gauche sur son sexe et s'avança vers Monsieur Z tout en gardant ses bas blancs qui avaient l'air neuf.

104

Il s'approcha si près de Monsieur Z, qui était un peu de biais à moi, que je lui voyais maintenant seulement le dos qu'il avait sublime, les fesses qui semblaient ragoûtantes comme du bon pain et les jambes musclées tout en longueur, comme un danseur. Qu'il n'était pas à cause de sa taille un peu trop épaisse. Il s'était fait goûter par Monsieur Z et maintenant il se retournait vers moi pour que je lui fasse la même chose. Ce qu'il me mit à la vue me plut, il n'avait pas menti à ce sujet et je goûtai sur son organe la salive de Monsieur Z. Puis il se retourna fesse à nous et se pencha. Il resta plié en deux et, se prenant les chevilles à pleines mains, se mit à s'écarter pour nous laisser voir ce qui m'intriguait le plus. Quel soulagement de voir apparaître une trace de poils noirs tout le long entre ses deux fesses. Je me léchais déjà les babines bien que je n'arrivais pas à voir comme il faut l'obscur objet de mon désir. Puis il se releva et nous fit face pour nous montrer le gonflement assez impressionnant qui occupait le devant de sa personne. Il revint devant Monsieur Z qui recommença à l'avaler goulûment. L'archange ferma les yeux quelques instants puis mit un pied sur le bras du fauteuil de Monsieur, laissant pendre dans le vide son sac assez lourdement. Monsieur Z continuait à hocher de la tête. L'ange me jeta un coup d'œil que je pris pour une invitation. Je me levai et me mis à genoux derrière lui pour lui prendre dans ma bouche ses deux grelots qui ballottaient dans le vide et l'odeur que j'y humai en même temps que j'avais le nez enfoui dans son fondement me grisa tant que je ne me rendis pas compte tout de suite qu'une petite bouteille se promenait entre Monsieur Z et son invité. Quand elle me parvint finalement, je ne pus plus résister et sans autre préambule enfouit immédiatement ma langue dans l'orifice que j'avais zieuté et admiré depuis que je m'étais agenouillé derrière lui.

Pour un jeune homme, dirons-nous, de sa profession, le sphincter était encore surprenamment en excellent état, presque comme neuf et de toute évidence gardé en très bonne condition.

Nous nous sommes amusés de la sorte pendant tout le reste de l'après-midi. Il était déjà cinq heures trente quand je les ai quittés, je m'en souviens parce que j'ai regardé l'heure en remettant ma montre.

Je n'ai jamais revu les Z. Quand je ne me suis pas présenté le mardi suivant, personne ne m'a téléphoné pour me demander des explications.

J'ai attendu que la Nouvelle Année soit passée, puis j'ai commencé à téléphoner régulièrement, des fois à neuf heures trente, des fois à onze heures, d'autres fois dans l'après-midi, mais Madame Z, qui avait toujours été à la maison auparavant – sa vie avait été d'une platitude qu'on ne trouve que dans la banlieue, Dieu merci! –, n'a jamais répondu.

J'ai arrêté de téléphoner fin février, début mars. Puis quelques soirs ce printemps, David et moi et le chien sommes passés devant chez les Z, après le souper lentement en voiture. L'auto de Monsieur Z était toujours stationnée devant la porte du garage. J'imaginais qu'il n'avait pas encore réussi à se débarrasser de la voiture de son ex-femme, une petite Fiat décapotable rouge. Puis un soir finalement, la porte du garage était grande ouverte et la voiture de Monsieur Z était stationnée dans le garage. J'ai imaginé qu'il s'était débarrassé de l'autre auto en la laissant stationnée au centre-ville, les clés dans le contact. C'est ce que j'aurais fait.

Il est rare maintenant que je pense à Madame Z, seulement quand aux nouvelles on annonce qu'une femme a été tuée par son mari. Et dans ces moments-là, je n'ai aucun regret, simplement un soulagement.

# CHAPITRE 14

# David

Il n'y a pas grand-chose à dire sur David. On dit que les gens heureux n'ont pas d'histoire, et c'est vrai. Lui, après six mois de thérapie, c'était fini. Son noyau était bon. Le mien, en comparaison, est pourri. Moi, après dix ans de psychanalyse, c'était désolant. Il n'y avait rien à faire.

En tout cas, même si on ne se parle plus, je suis bien forcé de reconnaître que sa mère a quand même fait du bon travail. Parce que dans son cas, c'était pas évident. Accident cérébral à la naissance qui l'a laissé paralysé des jambes pour la vie, c'était pas facile ni pour lui ni pour elle. Et elle l'a bien tiré de là malgré tout. David s'aime et ça paraît. Il ne se torture pas. Ça va, ça va, ça va pas, tant pis. Il ne s'en fait jamais avec des riens. Petit train va loin. Maintenant, il travaille en garderie et ça va bien. Je touche du bois. Ça n'a pas été le cas l'été dernier et j'ai copié à la fin les lettres que j'ai écrites pour le tirer de ce mauvais pas. Ça n'a rien donné sauf peut-être que ça lui a permis de sortir de ce guêpier la tête haute. Pour le reste, on n'a reçu aucune réponse, étrange.

Il m'a dit que quand il a apporté la lettre à Hounielle, elle lui a demandé avec un sourire narquois si c'était sa lettre de démission. David lui a répondu: non, je vais faire les deux semaines d'avis que vous me donnez. J'imagine sa réaction quand elle l'a lue. Ça nous a fait rire. Pour le reste, tant pis, comme David dit tout le temps.

Moi, je suis convaincu maintenant que beaucoup plus de femmes qu'on ne veut le croire n'aiment pas vraiment les enfants. Sinon comment expliquer qu'avant même qu'elles tombent enceintes, elles planifient déjà de faire garder le bébé sitôt presque qu'il sera né? Moi je dis qu'il ne faut pas aimer un enfant pour le mettre cinq jours par semaine, de sept heures du matin à six heures du soir, dans une garderie.

Même maintenant, où il travaille – il a décroché un poste permanent la semaine après les événements décrits dans les lettres ci-jointes –, il y a une mère qui lui a demandé de ne pas faire faire la sieste à sa petite fille parce que comme ça, quand elles arrivent à la maison, elle couche la petite et elle dort jusqu'au lendemain matin. C'est moins de trouble pour elle. Mais là, on ne dit plus rien. De toute façon, personne n'est intéressé. Comme dit ma copine Éléna qui a une petite épicerie de produits naturels sur la rue Ontario: pour changer ça, il faudrait remettre en question tout notre mode de vie, et ça, personne n'est intéressé à le faire.

Je pense qu'on est en train de passer à côté de ce qui est important dans la vie. Moi, je ne pense pas que la technologie nous apporte grand-chose. Elle nous fait juste vivre plus vite, c'est tout. Et en vivant plus vite, on n'a pas le temps de s'arrêter, d'apprécier.

La technologie fait qu'on vit aussi de plus en plus longtemps. Mais ça nous donne quoi? Pourquoi est-ce qu'on ne cherche pas plutôt à nous faire vivre mieux? Moi, je préférerais de beaucoup vivre cinquante belles années de dolce vita en ne sachant pas que mon taux de cholestérol est beaucoup trop élevé que d'en vivre quatre-vingt-dix atroces et finir par mourir, de toute façon, en parfaite santé les yeux rivés sur Internet, réalisant trop tard dans les quelques secondes qui me resteront que la vie finalement m'a complètement passé sous le nez.

Quand j'ai connu David, au tout début, ça n'a pas été facile pour lui d'accepter que, pour moi, la fidélité n'était pas une condition essentielle de l'amour. Je n'ai jamais été fidèle à qui que ce soit, ça me vient peut-être de mon arrière-grand-père, je ne sais pas. Les hommes sont trop beaux et trop tentants pour leur résister. Surtout que la plupart du temps, ils s'offrent assez facilement. J'ai avoué à David: écoute, je te le dis tout de suite, comme ça si ça te plaît pas, bon bien tu débarques, c'est pas grave. Et les premières fois, je me suis arrangé pour le faire avec lui.

La toute première fois, c'était dans un resto, on était avec sa copine Nise et un groupe de ses mignons. Nise est une vieille Française flasque, lesbienne à la retraite, qui s'entoure de jeunes garçons esseulés dont elle prend soin comme une maman. David était un de ses protégés quand je l'ai connu et elle a été tellement surprise qu'il finisse par rencontrer que, quand je suis arrivé dans le décor, elle l'a si mal pris qu'elle a tout fait pour nous séparer. Alors David la voit toujours seul maintenant. Mais ce soir-là, c'était le soir où il avait décidé de nous présenter et j'ai hésité puis accepté. Les garçons n'étaient pas magnifiques, sinon ils ne se seraient pas retrouvés seulets comme ils l'étaient, mais il y en avait un qui ne cessait de me fixer et, en fin de soirée, je l'ai invité, à la stupéfaction de Denise et à la surprise de David, à venir prendre un verre à la maison, c'est-à-dire chez David. J'y gardais déjà une bouteille de scotch. Une fois tout nu, le garçon a perdu sa fadeur et un peu plus tard David sa réserve, et nous avons joué tous les trois jusqu'au petit matin. Pour ne pas trop désarçonner David, j'ai attendu quelques mois avant de recommencer l'expérience avec un petit solliciteur de Greenpeace tout mignon et tout duveteux qui avait sonné à la porte un dimanche soir où nous ne savions pas quoi faire, et quand nous l'avons invité à venir se réchauffer avant de rentrer à la maison – nous étions ses derniers espoirs ce soir-là –, nous avons découvert qu'il ne l'avait jamais fait, même pas avec une fille, et avant que la soirée ne se termine, David lui avait fièrement pris la cerise. C'est à partir de ce soir-là que la lumière s'est faite chez lui et que, par la suite, une fois que j'ai emménagé avec lui, il a commencé à ramener des hommes à la maison avec qui je n'ai pas toujours baisé parce qu'il arrivait souvent que ses goûts n'étaient pas les miens. Une fois qu'il a été bien rassuré que c'était avec lui que je voulais faire un bout de chemin et que les autres n'étaient que des divertissements anodins, il a relaxé et nous avons commencé vraiment à nous amuser.

De toute façon, nous n'avons pas d'invités-surprises tous les jours et nous ne sortons pas très souvent non plus en célibataires. La plupart du temps, comme tous les couples, le sexe est conventionnel et nous le faisons aussi, comme la plupart des gens, en nous couchant pour mieux dormir.

En trois ans et demi, on a peut-être eu au max dix ménages à trois, ce qui n'est vraiment pas beaucoup et je suis peut-être allé au sauna en moyenne une fois par deux mois, des fois un peu plus si j'étais super-stressé et la plupart du temps c'était pour regarder des films pornos et me masturber s'il n'y avait personne d'autre d'intéressant. David n'aime pas ce genre de films, mais moi je les adore. Ah oui, en passant, j'ai oublié de dire que David ressemble justement comme deux gouttes d'eau à Tim Lowe, un de mes acteurs pornos préférés, sauf qu'il est un peu plus velu, ce qui m'excite encore plus quand je le regarde pendant que nous baisons. Je ne le lui ai jamais dit de peur de le froisser.

Et j'ai peut-être rencontré cinq ou six garçons dans la rue chez qui je suis allé baiser, pas plus, et j'ai revu un seul d'entre eux à trois ou quatre reprises parce qu'il avait vraiment des fesses irrésistibles que je lui tripotais, mangeais et zigonnais pendant des heures jusqu'à ce que je me rende compte que c'était dangereux parce qu'il commençait à s'attacher à moi.

Une seule fois, un soir, David était en Abitibi parce que son père avait fait un infarctus, et en rentrant à la maison à la fin de la promenade du chien, j'ai ramassé au coin de la rue un petit prostitué pas piqué des vers qui, aussitôt arrivé à la maison, m'a asservi complètement à ses désirs et m'a enculé sans merci en me frappant les fesses avec sa ceinture tout en me susurrant: envoye mon gros cochon, donne-moi-le ton gros cul, mon crisse d'hypocrite, envoye, écarte tes fesses que je te le déviarge ton trou de cul, c'est ça que tu veux, non? Envoye, prends ça mon écœurant de chien sale, tu sais, chu même pas en âge, ostie de pervers, si je veux, j'appelle la police pis je te dénonce, envoye ostie, relaxe, arrête de faire ta viarge offensée, crisse à ton âge c'est pas normal d'être aussi serré de même, envoye, desserre tu vas voir tu vas aimer ça au fond, mon ostie, tu vas en avoir pour ton argent, attends rien qu'un peu, je vas enlever le condom, mon sacrament, je vas te venir dans le trou de cul, tu vas voir, mon crisse, tu vas me payer ça. Et il m'est venu directement dedans. Après, ç'a été mon tour et je me suis payé la traite. Il commençait dans le métier, c'est pour ça qu'il n'était pas très chèrant pour ce qu'il avait à offrir. Il était *stunning*, comme on dit dans ma langue. Alors je me suis rassasié en prenant bien mon temps jusqu'à ce que je réussisse à lui faire fermer les yeux de plaisir et venir une deuxième fois. Mais c'est la seule fois. Ceux que je vois quand je vais promener le chien ne sont vraiment pas ragoûtants. Et lui, je ne l'ai jamais revu.

Voilà. C'est à peu près tout. Ensemble, depuis quelque temps, nous filons le parfait bonheur, c'est ce que je me surprends à penser ces jours-ci, surtout les samedis et dimanches matins quand on traîne au lit des heures au chalet à parler de tout et de rien en écoutant un peu *Les Annales du disque* et en mangeant des croissants aux amandes que David achète pas loin de son travail le vendredi soir juste avant de rentrer à la maison. Mais tout de suite, j'efface cette pensée pour ne pas attirer les mauvais esprits. J'aimerais que le reste de notre vie ensemble s'écoule lentement, paisiblement, comme ça tous les jours. Mais je ne sais pas si c'est possible. Pour quelqu'un comme moi du moins.

# CHAPITRE 15

# De la caractériologie
# appliquée à mon métier

De toute ma vie, mon passe-temps préféré, après la lecture, aura été d'observer les gens. Ce l'est encore. Quand je prenais le métro pour me rendre chez la grosse Madame V et que je n'avais rien de particulièrement intéressant à lire ou quand je marchais dans le Village en rentrant à la maison après une journée de travail crevante, j'adorais regarder les gens.

J'ai commencé bien jeune. Je me rappelle dès ma première année avoir été fasciné par un camarade de classe qui arborait fièrement un coq d'une hauteur tout simplement vertigineuse. Bien sûr, un joli minois attire encore toujours mon attention, mais avec l'âge, dirait-on, de moins en moins souvent et de moins en moins longtemps. Je trouve de plus en plus la jeunesse et la joliesse d'une fadeur lassante. Ce qui me captive aujourd'hui, ce sont les beaux laids, je crois qu'on dit, non? comme les belles laides?, les gueules de chien. Les gens comme moi, quoi. Il m'en aura fallu du temps pour en arriver là.

Après un coup d'œil au faciès, je passe au fessier. Plus il est rebondi et bien planté, plus il monte dans mon estime. Il ne me reste plus maintenant qu'à chercher à voir sur une main dénudée ou un avant-bras qui dépasse ou encore dans un décolleté laissé négligemment ouvert des traces de poils, ne me parlez pas de baiser avec un ver de terre, quelle horreur, et à me croiser les doigts pour que l'entrejambe n'ait pas été rasé, et me voilà maintenant les yeux rivés sur la raie de son vêtement à lui déguster en pensée le troufignon. C'est un de mes grands plaisirs solitaires.

Faute de ce gibier de choix, qui est tout de même rare et peut-être en voie d'extinction, avec toute cette mode d'électrolyse, je me rabats sur les autres gens sans cet intérêt qui se trouvent sur mon passage. Ici, une bouche toute ridée indique qu'elle n'a pas honoré son homme depuis très longtemps, là une façon de tenir son portefeuille qui laisse deviner une disposition radine, devant une façon de marcher sur le bout des pieds qui laisse croire qu'on ne veut pas déranger, derrière une personne qui suit de trop près comme si elle s'imposait toujours aux autres, enfin, vous voyez, je suis sûr que vous faites la même chose vous aussi.

Alors pour ce qui est de ce métier de merde, deux observations s'imposent: méfiez-vous des maigrichonnes et évitez les grosses. Les maigrichonnes ont des attentes de beaucoup supérieures à la moyenne. Elles ont un souci de perfection qui dépasse de loin les expectatives des gens normaux. Il faut, avec elles, toujours se dépasser pour arriver à les satisfaire et encore, un tantinet soit peu seulement. C'est très fatigant à la longue et ce n'est pas toujours très gratifiant, parce qu'elles sont toutes avares de compliments et de cadeaux. Pour elles, vos efforts constants ne sont que la norme et leurs listes de travaux dépassent toujours largement les listes des autres clientes, même celles très exigeantes de poids normal. Je vous les déconseille fortement.

Pour ce qui est des grosses, elles sont envahissantes et dangereuses. Si elles sont sur place, elles monopoliseront votre temps en vous confiant toutes leurs plus récentes déconfitures dans les moindres détails et avec tous les débordements dont elles ont la réputation et il sera difficile, sinon impossible, de terminer à l'heure prévue. Si elles sont absentes, elles vous indiqueront sur une liste quelconque que lors de votre dernière visite, vous avez oublié de passer l'aspirateur derrière le sofa. Probablement qu'elles y auront échappé un morceau de pizza et qu'elles auront remarqué qu'il y avait effectivement un peu de poussière parce que ce n'est pas un endroit que vous faites à chaque visite. Mais elles ne savent pas cela, elles, parce que ce sont des cochonnes nées et qu'elles faisaient rarement le ménage de toute manière avant de vous embaucher et elles vous surprendront donc toujours avec des demandes tout à fait farfelues. Pour une personne autonome, responsable et organisée, les grosses sont tout à fait chiantes. À fuir comme la peste.

Vous allez probablement penser que j'exagère et que je généralise, mais il n'en reste pas moins que, sans exception, toutes mes clientes maigrichonnes: Madame T, Madame Z et B.S. étaient du même moule. Madame von M qui, elle, est de poids normal, appartenait aussi à ce groupe, mais il ne faut pas oublier qu'elle est allemande et nazie, ce qui explique bien des choses.

Quant à mes grosses clientes: Madame F, Madame G et Madame V, dixit. Pour ce qui est des autres, disons qu'il s'agissait de cas spéciaux: mon petit couple gai S&M, malgré son poids, appartenait finalement plus au groupe des moumounes qu'au groupe des maigrichonnes, Mary-Rose, elle, est une alcoolique qui s'ignore, et Madame L, je ne sais qu'en penser.

Voilà donc peu d'exceptions pour confirmer la règle. Alors si jamais l'idée vous venait d'entreprendre une carrière en entretien ménager, Dieu vous en garde, méfiez-vous des maigrichonnes et cachez-vous des grosses. Deux avertissements valent mieux qu'un seul.

# CHAPITRE 16

# Mes amis

Je n'ai pas d'amis, je n'ai jamais osé prendre ce risque. De toute manière, en vieillissant, je deviens de plus en plus comme Léo Ferré, je préfère la compagnie des animaux et des plantes à celle des humains.

Il ne reste plus que deux personnes de mon passé maintenant que je vois de temps à autre. Je ne sais pas pourquoi d'ailleurs, mais il y a des choses, j'imagine, qu'on ne peut expliquer.

J'avais connu Gérald à mon arrivée au collège. Nous étions dans la même année et nous avions presque exactement les mêmes cours, ceux entre autres d'histoire de l'art qui nous passionnaient à cause de la prof Nicole Budrueuil ou quelque chose comme ça, une grande échalote décolorée. Je l'avais aidée à organiser les voyages annuels à New York pour y visiter les musées et, grâce à mon père, j'avais obtenu aussi de bons prix pour leurs chambres au New Yorker qui n'existe plus maintenant. Il y avait une certaine sympathie entre nous, mais pas plus, puis nous nous sommes perdus de vue. Nous nous sommes retrouvés un jour par hasard dans une galerie, Orobo je crois, et nous sommes allés prendre un café et de fil en aiguille nous nous sommes téléphoné depuis aux six mois à peu près.

Gérald a persévéré et est conservateur au MAM depuis 1976. En plus de vingt ans de carrière, aucune de ses expositions n'a reçu une bonne critique. Ça, c'est de son aveu même, avec le sourire en coin que sa permanence fonctionnariale lui donne. Je maintiens toujours qu'on est égal à soi-même, partout, toujours, peu importe. Gérald est une personne terne qui mène une vie fade dans un appartement d'une froideur à glacer le dos. Ses expositions sont à son image. Pourtant, il est l'agent de liaison du Musée avec les artistes et galeries de New York, ce qui est bizarre parce qu'il ne parle pas un mot d'anglais. Mon Dieu, si Mme F savait ça, j'imagine facilement le boucan qu'elle ferait.

Une fois, en sortant du Musée où j'étais allé voir les toiles d'un peintre qui peint des jeunes nus dans des poses lascives et internationales, une expo que Gérald n'avait pas parrainée évidemment, j'ai pensé à lui en rentrant à la maison et j'ai pensé à la monotonie de sa vie et au prix qu'il faut toujours payer pour tout. Rien n'est gratuit dans la vie.

Gérald m'avait téléphoné justement au moment où ma petite compagnie d'entretien ménager n'allait pas dans la direction que j'avais cru qu'elle irait quand je me suis retrouvé avec les affreux S&M et les Mme T et compagnie. Gérald fait 60 000 $ par année, il s'en est assez vanté pour que je le sache. Qu'est-ce que ç'aurait été pour lui de me demander de faire le ménage chez lui, juste pour me sortir de cette merde où je m'enfonçais de plus en plus, je le sentais, m'encourager et me dire qu'il allait en parler à ses collègues du MAM, mais non.

Du haut de sa chaire, je devais lui apparaître bien trop petit et bien trop misérable pour risquer même d'associer son nom au mien. Tout ce qu'il a trouvé à me dire, c'est que je serais peut-être mieux, si c'était comme ça, de faire une demande d'aide sociale parce qu'au moins, avec 2 000 $ par mois, je ne me ferais pas chier comme je le faisais là. Quand je lui ai dit que l'aide sociale n'était pas 2 000 $ mais 500 $ par mois, il ne m'a pas cru et il a mis fin à la conversation en me disant, pour me consoler, que de toute manière rien n'était facile.

Il m'avait raconté une fois qu'on était allés prendre un café Aux Gâteries que pour se faire embaucher, les jeunes gens qui voulaient devenir agents de sécurité au Musée devaient se prêter dans leur costume d'Adam à toutes sortes de contorsions lubriques seul à seul avec le directeur qui les pressait de toutes parts pour s'assurer de manu de la qualité de leur candidature.

Je n'avais pas été surpris. Après tout, c'était un prêtre. Ma copine Fifi, morte il y aura dix ans l'an prochain dans un terrible accident d'avion qui a ironiquement réglé ses problèmes d'agoraphobie chronique pour de bon, Fifi donc qui avait été la maîtresse de Pédalo pendant trente ans, qui avait élevé ses deux enfants entre tous ses mariages et divorces, et qui avait eu en plus une carrière tumultueuse, avait connu de cette manière toutes les putes de sa classe et m'avait raconté un jour comment l'une d'elles, Laurence, s'était fait vivre en haut de la montagne, vison accroché aux épaules, par le monseigneur directeur de la chorale des petits chanteurs de l'Oratoire. Ou une autre fois, l'histoire de cette autre poule de luxe, Carole Decalfe, qui avait vendu à la GRC les felquistes en octobre ou novembre 1970 et qui, avec tout le culot qu'elle avait, s'était refait dans la grosse gomme souverainiste ses meilleurs clients et qui clamait haut et fort à qui voulait l'entendre que la souveraineté du Québec n'aurait jamais lieu parce que ses leaders n'avaient pas de couilles. Elle devait le savoir. Ça, c'était il y a un peu plus de quinze ans, mais maintenant on se rend compte qu'elle avait bien raison après tout.

Il n'y a pas une seule semaine que je ne pense pas à Fifi et que je ne m'ennuie pas d'elle. Son corps n'a jamais été retrouvé, probablement des morceaux, mais lesquels et était-ce bien les siens? J'ai donc fait graver son nom sur la pierre tombale que j'ai achetée pour mon père au cimetière Côte-des-Neiges. Il y a maintenant un très gros WILLIAM BURROUGHS 1924-1986 et en dessous, en beaucoup plus petit, Fifi, tout en bas à gauche et à droite, vis-à-vis, Mimi, ma copine Myriam, la secrétaire maniaco-dépressive que j'avais à Concordia et qui, lorsqu'elle a commencé en plus à entendre des voix, elle était aussi psychotique et alcoolique, a mis fin à sa merde de vie en prenant tous ses somnifères d'un coup. On a fini par l'enterrer dans une fosse commune parce que personne n'était venu réclamer son corps.

Une fois, avec Fifi, on riait tellement au bord de la plage à English Bay à regarder les hérons juste au coucher du soleil venir sur le bord pêcher leur souper qu'elle m'a dit: tu sais, Charles, je devrais vraiment être droguée et alcoolique, ce serait moins dur à supporter tout ça, mais je n'en ai pas le courage, j'ai trop peur, et on a ri comme des fous. Elle avait vu tout de suite qu'on était pareils, que moi non plus je n'en aurais jamais le courage.

Voilà pour Gérald. On se téléphone à l'occasion et on se voit rarement. Je ne sais pas pourquoi.

Alberto est l'autre personne dans ma vie que je voyais de temps à autre avant et à qui maintenant je parle à l'occasion au téléphone. Je l'ai connu via Patrick, je crois qu'ils avaient été amants un certain temps, à Ottawa. Alberto est Italien d'origine et est né à Montréal, où il est revenu vivre quand il en a eu assez de cuisiner au Château Laurier. Comme tous les Italiens montréalais, il déteste les Canadiens français.

Un jour, Alberto nous a finalement invités à prendre le thé chez lui. Il fait une tarte au citron incroyable, la même toujours que celle qu'il avait faite pour Jacqueline quand elle est venue ici signer les papiers pour l'expo Picasso, juste avant qu'elle ne se suicide, avec un ruban en satin cordé gros bleu tout autour. Après avoir toisé David de haut en bas, il ne l'avait jamais vu encore – en passant, Alberto ressemble copie conforme au Duce à cheval qu'on voit encore à Notre-Dame-de-la-Défense dans la Petite-Italie où tous les mafiosi finissent par avoir leur service – et après le premier choc passé des cannes, j'avais oublié de lui en parler, il s'est mis, en nous versant le thé et sans raison apparente autre que la présence de David, à déblatérer contre les Canadiens français. Pas de culture, racistes, stupides, pas éduqués, c'est insensé en Amérique du Nord de s'obstiner à parler français et quel français, ils ne savent même pas l'écrire, encore moins le parler, un discours que David n'avait jamais entendu et moi non plus avec autant de sans-gêne. Les Canadiens français vivent beaucoup entre eux, c'est normal, tout le monde fait ça, et ne savent pas ce qu'on dit d'eux derrière leur dos. Évidemment, les médias se gardent bien de le leur dire et, quand ils le font, ils présentent ces propos comme extravagants et non pas courants comme ils le devraient.

J'en avais déjà conclu après le premier référendum, en 1980, que les Canadiens français ne s'en sortiront jamais. Tout d'abord, dès qu'il y en a eu, ils ont été méprisés par les Français. Puis les Anglais sont arrivés, nous les Burroughs sommes au Canada depuis 1773, et les ont bafoués, avec la bénédiction soudoyée du clergé. Ensuite, bien cachés derrière la classe politique canadienne-française du Bas-Canada, nous sommes dans les 1840 maintenant, on les a maintenus jusqu'en 1960 dans un état d'asservissement total. Puis, à la Révolution tranquille, quand ils ont réclamé un meilleur sort et une meilleure éducation que celle qu'on leur avait donnée jusqu'ici, je parle de l'instruction publique, pas des collèges privés, bien sûr, la classe politique s'est empressée de refondre tout le système scolaire de telle sorte que l'enseignement gratuit qu'on y dispense aujourd'hui ne vaut absolument rien. C'était astucieux. Gertrude Stein n'avait-elle pas écrit *A little knowledge is a dangerous thing for them that have this little?* En tout cas, on ne leur montre plus à penser, c'est moins dangereux comme ça.

Aujourd'hui, la classe politique a perdu toute sa crédibilité, trop de promesses mensongères. Il y a une limite quand même à ce que les gens acceptent de se faire tromper. Les médias ont donc pris l'ascendant. C'est effarant de constater avec quelle habileté ils assurent la relève et maintiennent à leur tour le peuple dans le même état d'asservissement; et c'est fascinant de les observer à la télé, à la radio et dans les journaux manipuler l'information pour garder sur le petit peuple d'ici une emprise complète et inébranlable. Ils sont maintenant la classe la plus puissante au Québec parce que ce sont eux seuls qui décident dorénavant de ce que le Québec écoutera, regardera et lira. Ils contrôlent tout ce qui entre et tout ce qui sort. Ce sont eux pour le moment qui maintiennent le peuple en otage. Et avec les sondages en plus, ils bouclent la boucle. Quand on en est rendu à rendre public un sondage mené auprès de cinquante Chinois qui conclut que le Canada est considéré en Chine comme le meilleur pays au monde, il y a de quoi lever au moins le sourcil. Mais au Québec, les médias sont tout-puissants. Sans compétition extérieure, et avec une aussi petite population, c'est tout à leur intérêt que le peuple reste francophone unilingue dans un océan anglophone unilingue. Je ne crois pas que le Québec s'en sortira. C'est un nœud coulant qu'il a autour du cou maintenant.

Mon père avait l'habitude de dire qu'il n'y a rien comme un Canadien français pour écraser un autre Canadien français, et c'est pour ça qu'il jubilait chaque fois qu'un des leurs était élu premier ministre du Canada. Il disait que nous, on pouvait comme ça s'en laver les mains et laisser les Frenchies, comme on les appelle entre nous, faire *our dirty work*. Quand j'ai étudié l'histoire romaine, j'ai compris ce qu'il voulait dire. Il n'y avait rien dans la Rome antique comme un esclave pour maintenir l'ordre et la discipline chez les autres esclaves. On n'avait qu'à lui donner l'impression qu'on le considérait au-dessus des autres et lui donner quelques privilèges pour pouvoir dormir la nuit sur ses deux oreilles sans jamais s'inquiéter, sachant que la moindre désobéissance, la moindre étincelle serait écrasée sans pitié avec même plus de cruauté qu'on ne l'aurait fait soi-même. Mais les Canadiens français ne savent pas cela. Ce n'est qu'entre nous, à mots couverts, que nous en parlons, dans notre intimité la plus intime, là où personne d'autre que nous ne peut entendre. Pauvres Canadiens français.

En sortant de chez Alberto cette fois-là, David était livide et il m'a dit: arrange-toi comme tu veux, mais lui, je ne veux plus jamais le revoir. J'ai eu mal de le voir avoir aussi mal. Il avait été humilié et je savais que je devais le venger. Mais comment? Avec Alberto, j'avais des conversations intéressantes, sur l'opéra surtout, qu'il connaît sur le bout de ses doigts. Et nous parlions sans cesse de jardinage, en anglais et en italien un peu, mais Alberto avait des réticences parce qu'il disait toujours que mon italien était meilleur que le sien qui est calabrais et pauvre. C'est grâce à lui si, aujourd'hui, nous avons un aussi beau jardin, en fait bien plus beau que le sien, mais ça je ne peux pas le dire, pas devant David.

Alberto regarde le monde de très haut. C'est son trait de caractère le plus fort. À ses yeux, tout le monde lui est inférieur, moi y compris, bien entendu. Il passe des jugements exécutoires sur tout le monde et personne n'échappe à ses sentences. Alberto est fier de ce qu'il pense et le dit très haut et très fort. Il déteste tout ce qui lui est inférieur et je ne connais rien qu'il admette qui lui soit supérieur.

Il lui est donc impossible depuis longtemps de travailler, il n'a jamais su ni voulu se rabaisser à ce point depuis son séjour à Ottawa. Il vit donc, depuis qu'il est de retour à Montréal, d'aide sociale et le week-end, quand il lui rend visite, sa maman lui donne fruits, légumes, petits plats cuisinés, douceurs, 10 à 15 $ pour ses petites dépenses, en plus de l'argent du taxi pour ramener tout ça chez lui. Ses parents habitent Saint-Léonard, ils sont Italiens de souche, un peu mafieux mais pas très riches. Son père a toujours été dans la petite magouille de la construction et sa mère a longtemps cousu à la maison dans le sous-sol à la pièce. Leur retraite est confortable, pas plus. La Floride un peu l'hiver, une auto de l'année et un duplex payé avec l'autre fille qui habite en haut avec l'unique petit-fils et le beau-fils louche et pas vraiment homofiable, quel dommage. Alberto est un vitello, comme dans le film de Fellini, mais en beaucoup moins beau et un peu plus gros. Et beaucoup plus vieux. Nous avons le même âge, à quelques mois près, moi en décembre, lui en mars.

Mais, avec le temps, la vie est devenue à Montréal un peu plus chère et l'aide sociale un peu moins généreuse et, occasionnellement, Alberto, qui a déjà gueulé contre tous ces maudits Canadiens français fainéants et paresseux qui préfèrent vivre du B.S. et boucler leurs fins de mois avec des jobbines sous la table, a commencé à faire la même chose. Il a repeint la clôture d'un voisin, une grande clôture, pour 100 $, coupé la pelouse d'une amie de sa mère pour 75 $ par mois, il a nourri le chat d'une copine partie en Europe pour 25 $ par semaine. Il a fait ça pendant quelques années pour se payer un robot culinaire, une machine espresso, une bicyclette neuve, rien d'extravagant vraiment, des petits luxes que l'aide sociale ne prévoit pas.

Quand je me suis mis au ménage, évidemment je suis descendu dans son estime encore de quelques crans. Mais, avec le temps, il a vu que je payais quand même mes comptes, que j'avais réussi à garder le chalet et la voiture et que David et moi menions une vie pas trop mal, resto à l'occasion, scotch à l'apéro sinon vermouth blanc, vacances au bord de la mer un été, une semaine, mais tout de même, apparte agréable, jardin magnifique, et qu'après tout la plupart du temps à 3 h ma journée était terminée. Et quand je lui disais qu'une de mes clientes me faisait spécialement chier, il ne se gênait pas pour me rappeler qu'Hannah Arendt avait écrit controversément que, pour chaque tortionnaire, il y avait une victime consentante. Comme je ne l'ai pas encore lue, je ne sais pas s'il dit vrai.

Puis un jour, il n'y a pas tout à fait un an, il me téléphone pour m'annoncer qu'il travaillait lui aussi à faire du ménage dans un gym, celui où il allait d'habitude et qu'il le fait 7 jours/semaine, 3 heures par jour. Je suis surpris, étonné même et, mine de rien, je lui demande si ce sera suffisant maintenant qu'il n'aura plus d'aide sociale. En se grattant le fond de la gorge, il me dit que non et que c'est pour ça qu'il a accepté qu'on le paie au noir: remarque, c'est pas beaucoup, 8 $ l'heure. Bon, tant mieux pour toi, et je raccroche. 8 $ l'heure, 21 heures par semaine, ça fait 168 $ par semaine x 4.2 semaines, c'est comme ça qu'on calcule le salaire mensuel, ça fait 705,60 $ par mois, plus le 500 $ d'aide sociale, ça fait 1 250,60 $ par mois, c'est beaucoup pour quelqu'un qui a gueulé contre ces maudits Canadiens français d'assistés sociaux qui travaillent en dessous de la table et qui minent notre économie, aucun sens des responsabilités sociales, y a rien à faire avec eux, vraiment, des déchets de la société. C'est difficile à avaler.

Je n'en parle pas à David. Trois, quatre ou cinq mois passent, je ne me rappelle plus, sans nouvelles d'Alberto. Puis à sa fête cette année, le 22 mars, un peu avant, le 19 peut-être, on reçoit de lui une carte postale de Rome. Qu'est-ce qu'il fait à Rome celui-là, me demande un David aussi éberlué que moi. Peut-être que son père est mort et qu'il lui a finalement laissé son héritage. Alberto ne vit que pour ça, que ses parents crèvent pour que lui et sa sœur se partagent le magot, pas beaucoup, mais Alberto pense entre 200 et 250 000 $ chacun. Juste la maison est évaluée à 200 000 $, plus les comptes en banque aux États-Unis et en Italie. Plus tard, une semaine peut-être, une lettre de Venise celle-là, en italien: je suis en Italie pour célébrer mon anniversaire, je t'explique au retour. Le carnaval est magnifique. Après, je descends à Pompei. Ciao bambino.

Trois semaines après, coup de fil, de Montréal: tu comprends, avec le salaire que je fais maintenant, j'en ai payé une partie cash puis j'ai mis tout le reste sur mes cartes de crédit, les deux sont au top, mais dans six mois, j'aurai tout repayé. Ah Rome, ah Venise, vous devriez y aller, c'est de toute beauté au printemps, évidemment si David a pas peur de se sentir trop dépaysé, tu sais, ces petits Canadiens français, ç'a jamais rien vu, c'est pas intéressé, je te dis qu'y font pitié. Je reste bouche bée.

Le lendemain, après une sage nuit de conseil, je suis chez une cliente, je ne me rappelle plus laquelle, Mme F ou Mme G, chez une de ces deux-là je crois, je suis seul dans la maison et je téléphone aux bureaux de l'aide sociale. C'est un peu tortueux et long, comme d'habitude, mais je tiens bon. J'ai en main les cartes postales, il nous en avait envoyé deux autres, une de Pompei et une autre de Naples, la lettre et les dates de départ et d'arrivée à Mirabel. J'ai donné à l'agent, sans jamais me nommer, tous les détails, l'adresse et le numéro de téléphone d'Alberto, le nom des compagnies de ses cartes de crédit, le nom, l'adresse et le numéro de téléphone du gym, son horaire de travail, tout, tout, tout.

Je ne dis rien à personne. Une semaine passe, rien. Deux semaines, rien. Bon, eh bien la délation, ça ne paie pas. Troisième semaine, finalement, Alberto me téléphone en catastrophe, il est convoqué et on lui demande d'apporter ses livrets de banque, y compris celui de Terre-Neuve qu'il n'avait jamais déclaré, ainsi que ses relevés de cartes de crédit de la dernière année. Le gym vient de lui dire qu'il ne peut plus travailler pour eux, qu'ils se sont fait prendre, qu'eux aussi sont convoqués, qu'ils auront une amende, etc. Quelle horreur, mais comment est-ce qu'ils ont su? Justement, je ne sais pas. Tu n'as parlé à personne? Alberto, voyons, tu me connais, la tombe. Oui, oui, je sais que ce n'est pas toi, s'il y a une personne au monde à qui je peux faire confiance, c'est bien toi. Non, je sais que, des fois, ils vérifient les départs à l'aéroport, je sais ça et, au gym, il y a un gars, Richard, on se déteste et il sait pour moi, je suis sûr que c'est lui. T'es sûr? Oui, il va me le payer cher, tu vas voir.

Le soir, quand David rentre à la maison, j'attends jusqu'au souper pour lui raconter le téléphone d'Alberto. David rayonne. Je ne lui ai pas encore dit que c'était moi qui avais téléphoné. Je ne sais pas s'il a un doute, mais ça n'a aucune importance, il est vengé et bien vengé. Alberto vit l'enfer maintenant avec l'aide sociale, ah oui, je leur avais même parlé de l'argent que sa mère lui donnait le samedi soir. Maintenant, ils ont déduit ce montant de son chèque et ils le surveillent sans merci. Je ne l'ai pas revu depuis, de peur de ne pas pouvoir me retenir de sourire. Nous nous parlons au téléphone et c'est ardu, même ça, parce que je ne suis pas acteur et simuler la compassion et la sympathie, c'est plus difficile que je ne le croyais, surtout sur une si longue période.

Pour ce qui est des autres gens que je vois, parce que je vois des gens comme ça, ici et là, au hasard de la vie, des gens que j'ai connus dans d'autres temps, comme Joan, une vieille de la vieille, une grano invétérée qui fume encore du haschisch et que je rencontre rue Saint-Viateur une fois par année à peu près, et Momo, le designer de maillots de bain pour hommes que j'ai connu je ne me rappelle plus comment, avec qui je vais prendre un café à l'occasion et qui depuis toutes ces années me radote les mêmes histoires, que les gens sont jaloux de lui parce qu'il est beau et qu'il a du talent et que tout le monde lui vole ses idées et qu'il est le seul vraiment original, que les autres ne font que le copier. Mais que veux-tu, il y a un prix à payer pour l'originalité. Et quand on est beau, en plus, on dirait que les gens ne nous le pardonnent pas. Momo n'est vraiment pas beau, mais il a une grosse queue, je le sais, on me l'a dit, c'est pour ça qu'il connaît une certaine popularité. Je ne sais pas s'il le sait, peut-être que oui mais qu'il ne préfère pas, je ne sais pas. Il ne me demande jamais comment je vais et ne sait même pas que je vis avec David depuis plus de trois ans maintenant. Je viens juste de me rendre compte que, à part la queue, on jurerait que je parle de mon oncle Andy. Quelle horreur. La vie ne serait-elle donc qu'un éternel recommencement?

Et, à l'occasion, d'autres gens, comme ça, fantômes d'un passé riche en explorations de toutes sortes.

Je n'ai pas d'amis et tant pis. Quelqu'un a écrit un jour que si on pouvait compter dans sa vie un seul ami, on pouvait se compter chanceux. Eh bien, pas moi.

De toute manière, si j'avais voulu des amis, je n'aurais pas choisi la vie que j'ai eue, ce n'est pas une vie pour avoir des amis.

Déjà David est un cadeau auquel je ne m'attendais pas. C'est beaucoup. Même presque trop.

Et il y a aussi dans ma vie de tous les jours la grosse Giselle, et la grande Phyllis que j'adore, et qui dorment avec nous dans la chambre à coucher, Yves et Simone qui s'appelait Nicolas jusqu'à ce qu'il ponde un œuf, nos trois Charlie's Angels, Farah, Jacklyn et Kate, Baby Jane et Blanche, nos deux gerbilles névrosées avec qui je joue des heures et qui l'autre jour ont rongé le fil des écouteurs de mon walkman pendant que je les avais laissées sans surveillance sur mon bureau pour répondre au téléphone et Max, le merveilleux Max, un des grands amours de ma vie, avec New York et David.

Et de temps à autre, il y a un bourdon qui vient me saluer sur la table en me tendant sa patte d'en avant au printemps, saoul du suc des premières fleurs, ou comme hier soir au chalet, une petite araignée qui s'est laissée descendre sur son fil entre David et moi jusqu'à la hauteur de nos têtes allongées sur les oreillers, nous venions de baiser comme des enragés, juste pour nous dire bonsoir et remonter aussitôt pour ne pas nous déranger pendant que nous regardions *La peau douce* avec Françoise. Des fois, comme ça, je me dis que je n'ai pas à me plaindre de ma vie.

# CHAPITRE 17

# De la peur de mourir

Pendant longtemps j'ai eu très très peur de mourir. Tellement que pendant des années je m'étais convaincu que cela ne m'arriverait jamais, que j'étais une exception et que j'allais être éternel. Le pire, c'est que j'y ai cru dur comme fer. Jusqu'à l'âge de trente-huit ans.

J'ai un oncle qui habite encore à Ottawa, un frère de mon père. Quand j'étais enfant, c'était mon idole. Je le trouvais beau, cultivé, élégant, raffiné, enfin j'imagine comme tout ce qu'on disait de ces grandes folles à cette époque. Et moi, je voulais lui ressembler en tout.

Jusqu'à l'âge de quatorze ans. Comme lui, je portais des jeans que je devais mettre mouillés pour qu'ils me moulent les fesses à la perfection. Comme lui, je portais de gros verres fumés à la Greta Garbo pour me donner une allure de star et, comme lui, je regardais tout le monde du plus haut qu'il m'était dédaigneusement possible. Je voulais l'imiter en tout, je voulais plus tard avoir la même vie que lui, faire des sauts mystérieux à New York et danser le twist toute la nuit au Copacabana, comme lui. Je rêvais de visiter la Conciergerie moi aussi, un jour, pour y déposer une gerbe de fleurs. Je voulais l'imiter en tout, sauf en une chose.

Un jour que j'étais en visite chez lui et qu'il m'avait laissé seul dans son appartement pendant qu'il était au travail, j'ai fouillé dans sa chambre à coucher où trônait un magnifique lit à la polonaise, et j'y ai trouvé des photos de lui et de ses amis en travestis. Pas une seule photo mais plusieurs dizaines prises à différentes occasions. Sur les photos, mon oncle portait toujours une perruque blond platine et c'est plus tard, quand j'ai baisé avec son amant, que j'ai su qu'il avait une fixation sur Mae West. Mais ça, ça ne m'intéressait pas. Tout d'abord, je n'avais pas le corps qu'il fallait et surtout pas la face. J'étais trop athlétique et j'avais déjà la barbe beaucoup trop forte. En plus, ça ne me disait rien. Ça ne me répugnait pas, mais ça me laissait indifférent.

La vénération que j'ai continué à lui porter quand même, malgré les photos, a fini par en prendre un coup finalement un soir où justement j'étais encore en visite chez lui, j'avais quatorze ans, et nous, c'est-à-dire lui, moi et son amant Brad, devions aller à une partie. C'était une partie gaie évidemment et c'était la première fois que je devais les accompagner. J'étais superexcité.

Cet après-midi-là, Brad avait décidé qu'il irait en travesti. Il avait passé tout l'après-midi à se reraser, s'épiler, se maquilller, se coiffer, coiffer sa perruque, pour finalement à neuf heures se transformer en cette ravissante créature qui, avait-il jugé en s'admirant dans l'immense miroir du salon, était plus belle que Miss Canada. C'est vrai que, cette année-là, la Miss Canada n'était pas spécialement jolie. Comme on s'apprêtait à partir, mon oncle me regarda et me dit: finalement, mon chéri, il vaudrait mieux que tu restes à la maison. Mais pourquoi? Oh, mon petit darling, je ne voulais pas t'offenser, ne le prends surtout pas mal, je te dis ça pour ton bien, mais tu sais, ces derniers temps, tu as très mauvais teint, pire que d'habitude. Justement, demain, je te donnerai un truc pour que ta peau s'éclaircisse un peu. Et puis tes dents, vraiment, je dois parler à ton père, elles sont atroces. D'ailleurs, tu sais, tu ne devrais pas ouvrir la bouche quand tu ris, c'est très vilain. Et en plus, tes cheveux, je t'avais dit de ne plus les faire couper aussi courts. Mais c'est papa. Alors tu vois, si tu ne peux même pas tenir tête à ton père, c'est que tu es encore trop jeune pour sortir dans le grand monde. Bon allez, sois sage, et au retour, on te racontera tout.

Dès qu'ils sont sortis, je me suis précipité dans la salle de bains. Je voulais voir. Déjà que j'avais commencé à ne pas me trouver très joli, je savais que je n'avais pas le physique que mon oncle et ses amis appréciaient, grand, mince, blond, yeux bleus, j'étais comme j'ai dit et comme je le suis toujours, court, baraqué, les cheveux noirs, pas bruns, enfin ce qu'il m'en reste, poilu, moyennement quand même, alors qu'eux préféraient les imberbes, et j'ai les yeux mauves. Je ne correspondais vraiment pas à leurs critères de beauté.

En me regardant dans le miroir de la salle de bains, je découvrais tous ces défauts que mon oncle avait eu la gentillesse de me faire remarquer, plus évidemment un millier d'autres. Je me rappelle distinctement que c'est ce soir-là que j'ai pris conscience de ma laideur. Je ne l'avais jamais remarquée auparavant, mais maintenant, je ne pouvais plus me la cacher, mon oncle l'avait étalée au grand jour. Dieu que je me suis trouvé laid ce soir-là et pour les presque trente années qui ont suivi. Et le pire, c'est que je ne sais toujours pas pourquoi il m'avait lancé d'un coup toutes ces atrocités.

J'ai commencé ce soir-là tout d'abord à ne plus tant aimer cette grande tantouse, puis à le détester pour finir par carrément le haïr.

Quand ils sont rentrés, j'ai prétendu que je dormais déjà. Quand j'allais en visite chez lui, il me laissait dormir dans sa chambre et lui dormait sur le sofa dans le salon, qui ne faisait pas un lit. Et tard dans la nuit, j'imagine, Brad venait se coucher à mes côtés, mais j'étais déjà profondément endormi; ce n'est qu'au réveil que je m'apercevais de sa présence.

Brad était un très joli garçon. D'origine polonaise, il était plutôt blond, il avait les yeux bleus, il était grand, mince et imberbe et avait des pieds superbes avec des orteils très carrés qui me fascinaient chaque fois que je les voyais. Il avait aussi un très beau nombril, un peu en forme de rose ancienne. J'adorais son nombril. Mais je n'avais aucune pulsion pour lui.

Jusque-là, je n'avais pas eu justement beaucoup de pulsions. Je n'avais pas encore commencé à me masturber six, sept fois par jour encore et je n'avais que de vagues fantasmes.

Cette nuit-là ne fut pas différente des autres nuits que j'avais passées chez mon oncle. Ils sont rentrés tard, Brad et lui, ils ont bu beaucoup au salon, puis mon oncle s'est couché et Brad, après un long démaquillage dans la salle de bains, est venu s'allonger à mes côtés. Il ne s'est rien passé cette nuit-là, comme d'habitude, sauf que cette fois-là je ne dormais pas, j'avais trop mal et comme quand j'ai trop mal j'étais occupé à faire des plans pour me venger. Quatre ans plus tard, j'aurai finalement ma vengeance.

Après ce week-end, j'ai beaucoup espacé mes visites chez mon oncle. Quand mon père m'offrait d'aller y passer un week-end, j'inventais des excuses pour me défiler, mais parfois, c'était plus fort que moi, il fallait que j'y aille. Mon oncle, depuis ma tendre enfance, avait été pour moi comme une drogue et le sevrage était difficile. Même s'il m'avait fait très mal, il n'en restait pas moins le seul modèle autour de moi qui suscitait quelque envie d'imitation. Quand j'y repense aujourd'hui, je m'aperçois que je savais déjà dans mon très for intérieur que je n'aurais jamais d'enfants, parce que, instinctivement, j'avais décidé que je ne voulais pas répéter les horreurs que mon père m'avait faites. Et je savais également qu'un jour je vivrais moi aussi dans un appartement avec des fauteuils Louis XV au salon et que je ferais un jour moi-même ma propre mayonnaise en écoutant *Le Barbier de Séville*. Je voulais aller au concert toutes les semaines moi aussi et aller ensuite danser dans les boîtes à la mode où, à chacune de mes apparitions, j'inventerais de nouveaux pas de danse.

Mon oncle était pour moi comme une flamme étincelante et j'étais un insecte qui ne pouvait s'empêcher dans son vol de s'en approcher, quitte à s'y brûler un peu. Après cette soirée atroce, la vanne étant grande ouverte, mon oncle ne se gênait plus pour me faire remarquer que mes mollets étaient trop gros, que mon acné adolescente ne s'arrangeait pas, que mon nez avait maintenant une bosse qu'un bon chirurgien pourrait faire disparaître, et je ne sais plus quoi encore.

Mais en cours de route, mon père m'avait envoyé étudier à Montréal et j'y avais découvert le sexe avec d'autres hommes, au Y où j'allais dormir le plus souvent possible les week-ends et où toute la nuit les portes des chambres étaient ouvertes sur des hommes allongés sur de petits lits, nus et bandés. On n'avait qu'à entrer. J'y passais des nuits entières à laisser ma porte entrouverte pour recevoir dans ma bouche la jouissance de ces visiteurs nocturnes. J'étais encore vierge. J'ignorais encore tout des plaisirs de la pénétration et je suis resté ignorant à ce sujet jusqu'au début de la vingtaine quand j'ai connu mon premier amant, Patrick.

À dix-huit ans donc, lors d'une de mes visites de plus en plus rares, quand Brad est venu s'allonger près de moi, je me suis retourné et ai posé ma main là où il le voulait depuis longtemps, m'avoua-t-il après, et entrepris de le faire jouir dans des éclats de voix qui réussirent à sortir mon oncle de sa torpeur éthylique et à le faire tousser pour nous laisser savoir qu'il savait. Et c'est ce que j'avais voulu et attendu depuis ce soir de mes quatorze ans. Le lendemain matin, j'ai vu dans ses yeux la douleur que je m'étais juré de lui donner. Je le haïssais maintenant pour la vie.

Brad est mort il y a une dizaine d'années, alcoolique lui aussi, seul, abandonné par mon oncle. Lui habite toujours le même appartement qu'il n'a ni repeint ni redécoré depuis mes dix-huit ans. Il vit seul, coiffe de vieilles clientes à l'occasion quand ses mains ne tremblent pas trop et boit maintenant pour oublier une cirrhose qui n'arrive pas à le tuer. Il ne sort plus, ne voit plus personne vraiment, ne cuisine plus. Les draperies de son appartement sont toujours fermées et il passe des heures devant le grand miroir du salon à placer ses cheveux pour cacher sa calvitie envahissante, à s'épiler les sourcils, à se teindre les cils, à mettre du fond de teint sur sa couperose nasale et quand il a fini, il se lève, s'habille et admire sa taille dans la glace, il porte un corset depuis des années, puis quand il s'est rassasié, il s'assoit et se verse un troisième ou quatrième scotch et écoute Lily Pons ou Leontyne Price, ses deux préférées, les mêmes disques que je lui ai offerts il y a des années. Il ne mange presque plus. Et il dort beaucoup. Parfois quatorze heures par jour. Il est vieux et laid maintenant. Très laid. Dans les années cinquante, il s'était fait refaire le nez deux fois – la première fois, ne l'avait pas suffisamment raccourci – et en vieillissant, je ne sais pas comment, mais ses narines ont tellement élargi qu'on dirait qu'il a deux trous béants dans le visage. Un peu comme Mae West dans les photos prises à la fin de sa vie pour *Life Magazine*, celles dans sa chambre à coucher atroce. Ironique.

La dernière fois que je l'ai vu, c'était il y a cinq ans. Il m'avait supplié de venir le voir et j'avais accepté mais seulement pour la journée. Il voulait que je le sorte dans un resto à la mode du moment. En fait, je lui avais menti. J'étais allé dans la capitale pour y passer trois ou quatre jours, je ne me rappelle plus, mais j'étais allé à l'hôtel et j'en avais profité pour aller voir quelques musées. Toujours est-il que ce jour-là, je vais le chercher chez lui. Il est 11 h 30. Le taxi attend devant son immeuble. Quand je sonne au 406, il répond à l'intercom qu'il arrive. J'attends dans le lobby et quand les portes de l'ascenseur s'ouvrent, une apparition monstrueuse en sort. Nous sommes en juillet. Il fait 32 °C à l'ombre. Mon oncle porte un tux noir avec un ceinturon écarlate, un col cassé évidemment garni de la vraie boucle de soirée, et non de la fausse avec l'élastique. Il a dans les pieds ses chaussures du soir vernies et décorées d'une boucle en soie brute du même écarlate que le ceinturon. Ses cheveux sont teints d'un noir que la nature n'a pas encore réussi à imiter et pour camoufler sa calvitie, il s'était saupoudré le crâne d'une poudre noire avec un tamis, je l'avais déjà vu faire. C'est un truc qu'on utilise à la télé et au cinéma, mais comme il voit très mal, il n'a pas vu qu'il en a trop mis et que sur le front des centaines de petites taches noires lui font comme une voilette au point d'esprit. Son fond de teint est d'une épaisseur et d'une couleur cadavériques, oui c'est l'adjectif je crois qui en décrit le mieux l'apparence et c'est aussi j'en suis presque sûr celui qu'on utilise sur les morts avant de les exposer à la vue de tout un chacun. Enfin, il porte des lunettes fumées dont la monture est d'un vert rainette fluorescent à la mode à ce moment-là chez les très jeunes adolescents.

En toute honnêteté, je dois dire qu'en le voyant, j'ai eu les jambes coupées. J'ai pensé que je ne pourrais pas et j'ai même pensé une fraction de seconde prendre mes jambes à mon cou et ne plus jamais le revoir. De toute façon, je ne l'ai jamais revu.

Mais mon sens du devoir a prévalu et je l'ai aidé à monter dans le taxi. Quand j'ai vu le regard du chauffeur se poser sur lui, j'ai cru m'évanouir. La même chose quand nous sommes arrivés au resto. Toutes les tablées se sont retournées d'un seul coup presque et c'est un silence de plomb qui nous a suivis jusqu'à notre table. J'étais rouge écarlate comme son ceinturon et les boucles de ses pantoufles de soirée. Je n'aime pas attirer l'attention.

Puis, nous nous sommes assis et mon oncle en se penchant vers moi m'a dit: tu as vu, je fais toujours cette impression-là. J'ai comme on dit du chien. Je suis encore beau, tu les as vues toutes les bouches ouvertes à mon passage, j'ai de la classe, du panache, moi. Tandis que toi, regarde-toi un peu. On dirait que c'est toi mon oncle. L'autre jour, mon médecin m'a dit: tu sais, Andy, je ne sais pas comment tu fais mais tu as le corps d'un jeune homme de 29 ans. Je ne saurai jamais si mon oncle a vu le sourire que j'essayais de retenir de toutes mes forces se dessiner sur mes lèvres ou s'il a vu dans mes yeux le reflet de cette vieille momie répugnante que je fixais au moment où il me disait ces mots, mais toujours est-il qu'il a cessé de me parler et nous avons mangé en silence. Il n'a pas eu à la bouche ces histoires que j'avais entendues cent fois par exemple sur sa rencontre avec la Reine quand il lui avait crêpé le chignon ou cet appel qu'il avait eu à 6 h du matin pour recoiffer une star de Broadway qui avait passé une nuit tumultueuse dans une des résidences officielles de la capitale ou une autre de ces innombrables histoires vraies ou fausses nous ne le saurons jamais maintenant. Parce que, après cette sortie, comme je l'ai dit, je ne l'ai jamais revu et je ne lui ai jamais reparlé.

Quand nous nous sommes levés, après que j'ai payé l'addition, toute la salle s'est tue à nouveau et s'est tournée vers lui, comme si elle avait attendu ce moment avec grande impatience ou incrédulité. Mais cette fois-ci, ce n'était pas le long silence de surprise qui avait accueilli notre entrée, c'était plutôt un silence d'anticipation. Dès que nous nous sommes dirigés vers la sortie, un tumulte incroyable de chuchotements et de rires étouffés a éclaté d'un coup accompagné de doigts qui pointaient mon oncle marchant devant moi. Le sourire qu'il avait esquissé pour saluer ceux qu'il avait mépris pour ses admirateurs a vite été remplacé par un mouvement énergique de la tête vers l'arrière, j'imagine comme les condamnés le faisaient avant de monter à l'échafaud à l'époque où la fierté régnait encore, et c'est ainsi qu'il marcha rapidement vers la sortie.

Cette fois, je n'avais plus honte. Au contraire, je savourais en marchant derrière lui, ignoré du public, ma vengeance finale, vingt-neuf ans plus tard, exactement l'âge que mon oncle donnait officiellement à quiconque en faisait la demande, sans égard à l'air ahuri de son interlocuteur.

Je l'ai mis dans un taxi et je lui ai dit au revoir. Il ne m'a pas remercié pour le repas, c'était son habitude de ne jamais remercier, il ne m'a pas répondu, il ne m'a même pas regardé. Ses joues tremblaient. J'ai donné son adresse au chauffeur, 258 Lisgar, puis j'ai refermé la portière. C'était fini, la vie à son tour m'avait finalement vengé et encore bien mieux que je ne l'avais fait moi-même. C'est toujours le cas, elle venge toujours divinement ceux qui ont été injustement bafoués.

Mais je me suis un peu éloigné de mon propos. J'avais commencé en disant que pendant longtemps, j'ai eu très très très peur de mourir. Puis j'ai parlé de mon oncle. En fait, si j'ai parlé de lui, c'est qu'il m'avait sournoisement légué justement, et sans que je m'en aperçoive tout de suite, deux héritages de poids: la peur de vieillir et la peur de mourir.

À dix-huit ans, il m'a annoncé que comme il ne se donnait que dix-neuf ans et non plus les quarante-deux qu'il avait, je ne pouvais plus être publiquement son neveu et que je devenais donc officiellement et par la force des choses son cousin et que dorénavant en conséquence je ne devais plus l'appeler Uncle, mais Andy. Ce jour-là, je m'étais juré que je n'allais pas vieillir comme lui en vieille cocotte ridicule. Mais dans notre monde, c'est plus facile à dire qu'à faire.

Une fin d'après-midi d'hiver que je traversais un parc pour aller travailler au café qui payait le logement et mes cours de piano, j'ai soudain réalisé que dans deux ans j'allais avoir trente ans. Je ne sais pas pourquoi cette pensée, qui avait déjà traversé souvent mon esprit dans le passé, ce jour-là m'a fait particulièrement mal. Et j'ai commencé à partir de ce moment-là à avoir mal tous les jours, chaque fois que j'y pensais. Et j'y pensais de plus en plus souvent et de plus en plus longtemps. Ma poitrine, de jour en jour, se serrait de plus en plus fort, je respirais de plus en plus par petits coups, comme un hystérique qui n'arrive pas à reprendre son souffle.

Combien de temps est-ce que cela a duré, je ne me rappelle pas, peut-être quatre mois, peut-être six, mais pas un an, ça j'en suis sûr. Et un matin, j'en ai eu marre.

Je suis un morning man, je ne sais pas comment on dit ça en français, j'ai cherché dans mon dictionnaire mais je n'ai pas trouvé. Peu importe. Toutes mes grandes décisions sont prises le matin. Alors un matin, je me suis dit: écoute, si tu veux vivre vieux, j'avais décidé au cours d'une méditation que j'allais vivre jusqu'à quatre-vingt-huit, eh bien mon vieux, pour te rendre à 88, il te faudra passer par 30, 40, 50, 60, 70 et 80 et si t'es pas prêt à ça, débarque tout de suite, ça sert à rien de te tourner le fer dans la plaie comme ça. Et la panique est partie, l'angoisse aussi. Tout d'un coup. J'ai pris une grande respiration. Je n'avais plus mal à la poitrine, j'avais retrouvé un calme relatif. Pas la sérénité, mais un certain calme.

Parce qu'il me restait encore le dégoût. Le dégoût de vieillir. Comment allais-je donc réussir, moi, ce que peu réussissent dans la vie: bien vieillir? Parce que si j'avais accepté que pour vieillir, il fallait vieillir, je voulais au moins le faire avec grâce. Il n'y a pas beaucoup d'exemples de gens qui vieillissent bien, je trouve. À l'époque, je ne connaissais personne. J'ai dû alors m'établir seul quelques règles que je croyais élémentaires après avoir observé mon oncle: tout d'abord, ne jamais mentir sur mon âge; ensuite, ne jamais essayer d'avoir l'air plus jeune que mon âge, soit par les vêtements, ou pire encore en me teignant les cheveux, ou par la chirurgie esthétique, la seule exception étant les paupières si j'avais le malheur en vieillissant qu'elles s'affaissent; enfin, ne jamais compétitionner avec des plus jeunes que moi, et finalement me garder le plus svelte et le plus en forme possible.

Mais malgré tout, il me restait un pincement au cœur: regarder mon corps vieillir, ce corps que je n'avais pas toujours aimé comme il le méritait mais ce corps pour lequel j'avais reçu tant de compliments. Soit dit en passant, j'en reçois encore beaucoup.

Puis quelques années ont passé. J'ai finalement eu 30 ans, sans peine, et un peu plus tard je suis parti, après le référendum de 1980, vivre à Vancouver. Au cours de mes expéditions à la découverte de cette ville, j'avais trouvé, dans la cave d'un vieil hôtel vétuste, un bain sauna, qu'on disait le plus vieux de la Côte-Ouest et qui n'attirait, m'avait-on dit, que de vieux monsieurs. J'y étais finalement entré un jour que je n'avais pas beaucoup d'argent et que j'avais un besoin impérieux que ma main seule ne pouvait satisfaire.

C'était un endroit lugubre, tenu dans le noir par quelques faibles ampoules qui pendaient ici et là au bout de vieux fils électriques effilochés. Au plafond était suspendue toute la vieille tuyauterie de l'hôtel de laquelle tombaient partout sur son chemin des gouttelettes d'humidité d'un jaune glauque et visqueux presque répugnant. Une fois l'entrée payée, 3 $, le caissier ouvrait la porte qui donnait sur un long couloir menant directement à la douche, immense en ciment et ouverte à l'examen de tous. Directement à gauche, il y avait un autre couloir en L le long duquel de chaque côté se trouvaient des petites cabines de repos qui n'avaient pas de porte. Ce qui s'y passait s'y passait au vu et au su de tous les clients présents.

Cette première fois, après quelques minutes d'inspection des lieux, j'ai presque fait demi-tour. Partout, il n'y avait que de vieux monsieurs. J'étais de très loin le plus jeune client, de presque quelque quarante ans, et la vue de tant de chair défraîchie à la fois me donnait légèrement mal au cœur. L'odeur fétide n'aidait pas non plus. Mais finalement, comme j'étais déjà en serviette et que j'avais payé et que je ne serais pas remboursé de toute manière, je me suis dit aussi bien en profiter et prendre un bon sauna. Le sauna était encore plus mal éclairé que les couloirs. Il n'y avait qu'une minuscule ampoule rouge et c'était un bain vapeur, pas un bain sec, comme je les aime avec une valve qui permet aux clients de contrôler eux-mêmes le débit de vapeur désiré. J'ai donc pris une douche sous l'œil admirateur de trois vieux monsieurs, les plus hardis, qui m'ont souri quand j'ai toisé leur regard puis, complètement nu, je suis entré dans le bain où il y avait encore beaucoup de vapeur. Le plancher à l'entrée du bain était aussi en ciment, et à gauche, il y avait une première marche en bois, qui servait également de banc, et plus haut, un deuxième et dernier gradin, beaucoup plus large, sur lequel on pouvait s'étendre en largeur de presque tout son long, en laissant pendre ses jambes au-dessus de la première marche. C'est ce que je fis. Et aussitôt installé, la porte s'est ouverte. Je n'ai pas regardé. J'ai gardé les yeux fermés. D'abord j'ai senti une main, puis deux, puis trois puis je ne sais plus, puis une bouche, deux bouches, et des mains qui en même temps ouvraient mon entrejambe, puis une bouche qui avalait mes testicules, pendant que des mains relevaient mes jambes, puis une langue qui chatouillait mes orteils maintenant et une autre qui me pénétrait l'arrière-train comme une locomotive, ensuite des mains qui m'écartaient les fesses pendant qu'un doigt s'y frayait un chemin avant que d'autres ne se joignent à lui pour me préparer à un délice à qui j'ai dit lorsqu'il s'est présenté à ma porte tout gonflé *slowly, slowly* et qui m'a répondu *yes, yes, relax, I won't hurt you, just relax, yes that's it, that's nice, that's very nice, relax, let me in some more* puis devant ma résistance un grand vide vite remplacé par un autre corps chaud et dur et gros, plus dur et plus gros, et une voix qui dit *relax, baby, that's nice, gosh, that's nice, yes relax, you can take it, we'll go slowly, you like them big baby, don't you, yes that's it, I'll go slowly, no hurry, just relax, don't worry, you're doing nicely, that's beautiful, yes that's it squeeze it baby, squeeze it good, God, you've got a nice tight pussy there, baby, just give it all to daddy, baby, come on relax some more, dady wants it all the way, I'm almost there now, I'm almost all the way, baby* et une ouverture et un grand coup jusqu'au fond, suivi de plusieurs petits coups et d'autres grands coups et des voix qui crient *yes, yes that's beautiful, you've got a nice hairy ass boy and it's stretched out now baby, pretty well all stretched out, you've got a fucking big dick fucking you boy, all the way up your ass* et un premier jet sur ma poitrine, quelqu'un s'était glissé à mes côtés puis un autre jet de l'autre côté et des mains qui étendent le sperme partout sur mon ventre – j'ai toujours les yeux fermés, je ne veux pas vraiment voir ce qui m'arrive – puis un dernier jet à l'intérieur de moi, je le sens fort et deux ou trois autres moins forts mais copieux.

Puis les vieux se sont retirés, un à un, le dernier me donnant une tape sur les fesses en me quittant. J'ai ouvert les yeux, j'ai ri et je me suis étiré. Puis quand je n'ai plus entendu la douche couler, je suis sorti à mon tour.

J'y suis retourné au moins une fois toutes les semaines jusqu'à mon départ de Vancouver. J'avais découvert un endroit où j'étais apprécié et où je pouvais être totalement relax et moi-même. Ce qui est rare. Et je n'avais jamais de compétition, ce qui rendait la chose encore plus agréable. Quand un client de moins de 40 ans entrait par accident dans la place et qu'il me voyait, c'est moi qu'il voulait. S'il me plaisait, j'allais dans sa cabine où devant tout le monde, parce qu'il n'y avait pas de porte, je lui faisais ce qui me tentait. S'il me disait non, je remettais ma serviette et sortais. Une seule fois, je suis vraiment sorti et le client s'est rhabillé et est parti. Toutes les autres fois, il me retenait soit par la main ou la jambe et devant tout le monde levait bien haut les jambes pour m'offrir en pâture ce qu'un homme a de plus précieux à donner. Une fois que je m'étais bien rassasié et que je l'avais amené au point de non-retour, je laissais entrer dans la cabine un de mes vieux potes qui se délectait à son tour et qui finissait toujours par lui donner un ramonage de cheminée en règle, au grand plaisir de nous tous en cercle autour de l'heureux couple à les onctoyer généreusement.

Que de beaux après-midi j'ai passés dans ce sauna.

C'est là que j'ai perdu mon dégoût pour la vieillesse. J'ai appris, en regardant, en touchant, en goûtant et en parlant, que le secret de bien vieillir était très simple. Un bon verre de scotch à l'apéro, un bon cigare de temps à autre, un bon petit-déjeuner, et ça tous les jours, des repas légers pour le reste avec quelques gargantuesques fêtes çà et là, une gâterie à Noël, à la Saint-Valentin et à Pâques, un exercice modéré tous les jours, vingt minutes max, de la marche le plus possible pour se rendre au travail, les escaliers sans exception à pied, une vie émotive stable, tous ces hommes avec qui j'ai passé tant d'agréables heures étaient mariés et grands-pères, et une vie sexuelle active, et voilà, la vieillesse n'est plus si moche qu'on le pense et c'est surprenant avec ce régime les résultats que l'on obtient.

Parce qu'il y avait parmi tous ces hommes quelques-uns encore très potables. Ceux-là justement. Et avec eux, je ne fermais pas les yeux et j'ouvrais bien grand la bouche et je sortais bien loin ma langue. Et c'était un délice que de sentir au fond de ma gorge leur sperme encore abondant me remplir ensuite la bouche d'un goût tantôt salé, tantôt sucré, tantôt âcre, dépendant. Ou de mes mains, écarter ces deux fesses encore bien fermes, couvertes de poils parfois sel et poivre, pour y découvrir caché dans une raie généreuse ce petit bouton encore tout rose et tout serré et y forcer le bout de ma langue jusqu'à ce qu'il se relâche et me la laisse entrer aussi loin qu'elle le pouvait et entendre les gémissements qu'elle arrachait finalement à ces hommes qui cambraient maintenant les reins bien en arrière pour me laisser savoir qu'ils s'abandonnaient complètement à moi et voulaient que j'entre en eux le doigt qui allait trouver leur point faible et les faire jouir partout sur mon visage enfoui sous leur corps, eux qui s'étaient mis sur moi croyant me dominer et qui se laissaient maintenant totalement subjuguer par mon art. Ou encore, de les prendre par surprise et de les asseoir sur la banquette d'une cabine et de leur mâchouiller les seins jusqu'à ce qu'ils écartent les cuisses et qu'une fois ma main là et mon doigt à demi entré, ils me disent *you'll go gently, won't you? I'm not used to this* et de tenter de me retenir quand dans mon va-et-vient je les regardais fermer les yeux pour se donner et s'abandonner à cette jouissance qu'ils finissaient toujours par demander plus longue *don't come yet, baby, don't come, make it last, oh this is good, so good, baby, yes, oh, I like the way you move*, jusqu'à ce que je n'en puisse plus et leur confisque la queue pour les faire venir et venir juste au moment où leur prostate se gonflait pour expulser cet élixir que je finissais toujours par récolter à grands coups de langue dès que je m'étais retiré de leur antre secret. Ces orgasmes étaient toujours incroyablement simultanés. Je ne sais pas comment je me suis appris ce truc-là. Mais ça marche encore. Il suffit que je sente la prostate se gonfler contre ma queue pour que je vienne. C'est extra. J'adore.

C'est donc comme ça que je me suis débarrassé de ma peur de vieillir. Puis à 38 ans, je me suis réveillé un matin et j'ai ressenti exactement la même chose qu'à 28 ans: la panique, l'angoisse, la poitrine serrée, le souffle court. Sauf que cette fois, c'était la peur de mourir qui me prenait à la gorge.

Jusque-là, j'avais réussi comme je l'ai dit à me faire croire que j'allais être éternel. Quand je me suis finalement admis que de toute évidence je ne le serais pas, j'ai été bouleversé au point d'en devenir obsédé.

Je travaillais au Y à ce moment-là. Je crois que j'ai demandé à tout le monde au travail s'ils avaient peur eux aussi de mourir et s'ils y pensaient. La plupart des gens pour ne pas dire la totalité me disaient que non, mais je ne les croyais pas, juste à voir le malaise qu'ils avaient à m'entendre leur poser mes questions, et je ne les crois toujours pas plus aujourd'hui quand le sujet se glisse dans nos conversations.

Je lisais toutes les chroniques nécrologiques, la mort m'obsédait. Un enfant qui mourait me faisait parler des jours entiers de la douleur pour un parent de perdre un enfant et de la difficulté de s'en remettre. La même chose pour un suicide, toute ma vie ne tournait qu'autour de la mort. Je ne vivais plus. Jusqu'au jour où je me suis assis sur mon sofa-lit en similicuir que j'avais cru être du cuir véritable quand je l'ai acheté et je me suis dit: bon, Charles, ça va, tu as peur de quoi au juste? Que ça fasse mal. Alors ça, mon vieux, y a pas grand-chose à faire, on va prier pour que ça fasse pas trop mal. C'est tout? Ça va? Oui, mais j'ai encore peur. De quoi? Parce que je ne sais pas ce qui m'attend une fois que je serai mort. Juste ça? Oui. Alors mon vieux, qu'est-ce que tu penses qui t'attend? Je me suis assis trois jours durant, quand je travaillais au Y, je travaillais seulement quatre jours par semaine, et j'ai tout planifié mon après-vie. Je suis Capricorne. Les gens que j'aimerais rencontrer, Marie-Antoinette en tête de liste, les événements historiques que j'aimerais voir, la bataille d'Actium entre autres, les âmes avec qui je veux parler, ma grand-mère Burroughs est la première et j'aimerais qu'elle soit là quand je mourrai pour m'aider à faire la transition. Puis j'ai pensé que la nuit – j'imagine que les âmes ne dorment pas –, pour ne pas m'ennuyer, j'entrerais dans les rêves des hommes que j'aurais trouvés plaisants au cours de la journée pendant mes visites terrestres et que je leur ferais faire des rêves mouillés. Ce serait amusant et pas trop déroutant.

Et jusqu'à ce jour, c'est encore la seule façon que j'aie trouvée d'apprivoiser la mort. Mais j'en ai encore peur. Et le pire, c'est qu'avec l'expérience que j'ai maintenant, je vois bien qu'il n'y a pas de différence entre nous et les animaux et ça me rend un peu nerveux. Parce que s'il y a une vie après la mort pour nous, il doit y en avoir une pour eux aussi. Et ça, c'est loin d'être sûr.

# CHAPITRE 18

# Vivre en français n'est pas facile

Madame,

Nous vous écrivons pour vous aviser qu'à compter du 1ᵉʳ août prochain, nous ne paierons plus notre loyer à moins que certaines rectifications ne soient apportées.

Depuis que nous vivons ici, il y a un peu plus de trois ans maintenant, nous nous sommes relativement bien entendus avec nos voisins. Mais depuis que Robert à côté a quitté et que Lionel a repris son appartement et que Maurice est à sa retraite, nous ne pouvons expliquer ce qui s'est passé mais le bruit qui nous vient d'à côté et qui nous tombe du 2ᵉ de chez Maurice justement et de chez Guillaume et du 3ᵉ de chez Pierrot est insoutenable.

Durant l'hiver, tout était tolérable parce que chacun restait chez soi, mais depuis c'est pour nous l'enfer.

Juste à les entendre monter et descendre l'escalier qui mène au jardin, on dirait un troupeau d'éléphants. Et les cris perçants qu'ils lancent lorsqu'ils sont rassemblés du matin au soir sur la terrasse au-dessus de la nôtre nous laissent croire qu'ils proviennent d'un troupeau de wapitis en chaleur qui n'ont pas vu le mâle depuis très longtemps.

Déjà, l'an dernier, nous avons dû cesser de recevoir nos amis dans le jardin parce que le spectacle vulgaire qu'ils nous donnaient d'en haut chaque fois nous faisait rougir de honte.

Vous savez peut-être qu'ils préfèrent s'interpeller au féminin et qu'entre elles donc ces dames se sont donné comme noms Alice au lieu de Maurice,

*Guylaine au lieu de Guillaume, Pierrette au lieu de Pierrot et maintenant Lili au lieu de Lionel. Ce sont les noms qu'elles se crient chaque fois qu'elles se voient, en privé ou en public, elles n'en font pas la différence.* La cage aux folles, *c'était bien drôle au cinéma, mais ce ne l'est pas dans notre cour, tous les jours.*

*Cette année, nos folles descendent dans le jardin plus que jamais. L'an dernier, elles le faisaient aussi mais plus rarement. Est-ce leur instinct animal qui les pousse à marquer un territoire qu'elles ont décidé de s'approprier, nous ne le savons pas. Mais cette année, nous les avons sous les yeux constamment à jouer aux grandes dames de basse classe. Je vous jure qu'en personne, c'est beaucoup moins drôle.*

*Surtout qu'elles portent toutes des tenues aussi écourtichées que possible et laissez-nous vous dire que d'arriver face à face à 7 h du matin avec les chairs défraîchies d'Alice qui nous expose la raie de son gros cul fané en se penchant pour ajuster sa sandale, ça nous enlève le goût de prendre notre petit-déjeuner dehors.*

*Nous vous faisons grâce des bourrelets flasques de Guylaine qui lui pendent de partout et qu'elle nous expose à la vue sans pudeur à longueur de journée et des rondeurs truiesques de Lili qui goinfre le plus bruyamment possible pour tout et pour rien en montant et descendant l'escalier pour aller rejoindre ses nouvelles copines.*

*Nous savons que ces gens n'ont pas beaucoup d'éducation et encore moins de savoir-vivre. N'avez-vous pas été surprise il y a deux semaines que ces gentes dames décident de défoncer à la barre à clous la porte de Pierrette qui avait perdu ses clés dans un bar, la pauvre, plutôt que d'appeler un serrurier qui lui aurait ouvert la porte pour 50 $ et vous éviter ainsi la dépense de la remplacer? Ou vous ont-elles fait croire que c'était l'œuvre encore une fois d'un cambrioleur?*

*Nous avons remarqué, bien sûr, qu'ils mènent des vies tristes et insipides faites uniquement de potinages, de commérages, de médisances, de vacheries, de traîtrises et de méchancetés toujours accompagnées de hauts cris évidemment. Juste à voir la bouche de Pierre qu'il tient si serrée qu'on dirait que c'est un anus qu'il a dans le visage, on comprend d'un seul coup d'œil la petitesse de ces gens-là. Qu'ils soient exécrables et méprisables, ça les regarde, mais sous nos yeux, c'est autre chose.*

*C'est pour cette raison que nous retiendrons notre loyer jusqu'à ce que les rectifications suivantes soient apportées:*

*1. que Guillaume, Maurice et Pierrot, ou ne devrions-nous pas dire plutôt Guylaine, Alice et Pierrette, soient confinées à leurs étages et qu'elles n'aient plus le droit de descendre au jardin;*

*2. que vous les avisiez formellement de baisser le ton;*

*3. que vous les notifiez de ne plus nous envoyer sur la tête les cochonneries, y compris la marde de leurs chats, qu'ils balaient de leurs balcons directement sur notre terrasse;*

*4. idem, de s'habiller convenablement quand il y a des gens autour.*

*Nous vous faisons parvenir des photos que nous avons prises dernièrement, la date et l'heure y sont imprimées automatiquement. Nous espérons que vous ne venez pas tout juste de manger et que vous n'aurez pas trop mal au cœur mais vous comprendrez mieux peut-être pourquoi nous préférons manger à l'intérieur.*

*S'il y a lieu, vous pouvez également communiquer avec Madame Lagasse, la propriétaire de la maison voisine qui, lorsque nous lui avons dit que nous allions vous écrire, nous a dit qu'il était grand temps que ces vieilles folles, c'est son expression, pas la nôtre, soient mises au pas, qu'elles donnaient un spectacle lamentable et qu'elles n'avaient aucune classe, c'est son jugement, pas le nôtre.*

Cette lettre décrit bien ce que c'est que de vivre en français à Montréal dans le Village gai, le quartier le plus laid de la ville. Il faut se promener juste un peu rue Sainte-Catherine, entre Amherst et Papineau, pour voir de visu ces Guylaine, Alice, Pierrette et Lili qui surpeuplent ce village grotesque. Désolant.

Un jour que j'étais avec Momo à prendre un café, il me dit comme ça: le Village a vraiment beaucoup embelli depuis les trois dernières années, tu ne trouves pas? J'étais sidéré parce que je venais juste de regarder autour de moi et de me passer la réflexion tout à fait contraire. Je m'étais dit: mon Dieu, comme on a changé en vingt ans. Comment a-t-on réussi à réunir autant de laideur en si peu de temps? Avant, être gai, c'était synonyme de bon goût mais maintenant, ici, c'est le contraire. Dieu merci, il semble que ce ne soit pas partout comme ça. À Toronto, au moins, tout le monde a des Jack Russell, comme notre princesse déchue. Et à en juger par les revues de décoration intérieure, les gais ailleurs dans le monde portent encore fièrement le flambeau.

C'est sûr que de vivre dans une seule langue, ce n'est pas chose facile. Au début, quand j'ai connu David, j'ai eu des maux de tête terribles. La première année. C'était aussi de m'ajuster à un monde beaucoup plus étroit. La télé et la radio en français, ici, c'est pas de la tarte. Toujours les mêmes gens partout et toujours selon la bonne volonté de quelques personnes. Elles ne sont pas beaucoup, une dizaine max. Pédalo en est une. Ce sont elles qui décident de ce que les gens au Québec regarderont, écouteront et liront. Et c'est tellement réductif.

Ici, pour faire partie de l'élite, on se met de la Préparation H tout autour de la bouche et on pérore en public comme les sœurs Motoneige, avec le plus de dédain possible, et immédiatement on entre dans ce cercle infiniment restreint de ceux qui aiment se faire croire les élus de la race canadienne-française.

Il ne faut pas se leurrer. Le Québec est le royaume de la médiocrité et de la classe moyenne. Ici, tous les rêves sont réalistes. Les vrais et les grands rêveurs sont ridiculisés. Dans une société matriarcale, cette observation ne devrait pas surprendre. Ce sont les femmes qui portent la culotte ici. Et comme il n'y a rien dedans, évidemment... Quelqu'un a même osé écrire dans les dernières pages d'un journal que c'était pour ça que le Québec avait encore voté non au dernier référendum. Ce sont elles qui dirigent le petit train-train quotidien de la petite nation canadienne-française.

C'est donc normal que ce soit ici, plus que partout ailleurs au monde, que la révolution féministe a frappé le plus fort. Les pauvres petits Canadiens français n'ont vraiment pas de chance. Partout, à la radio, à la télé, dans les journaux et surtout dans les magazines, ils n'en font jamais assez, ou pire, ils ne le font jamais assez bien. Ginette se plaignait toujours de ce que son ex, qui avait la garde partagée de Lollo et qui à la suite de compressions budgétaires inhumaines s'était retrouvé à 45 ans sans emploi, ne payait pas la moitié des dépenses: la preuve, il n'a même pas pu me donner la moitié de ce que les lunettes de la petite ont coûté. Tu sais, aujourd'hui, pour une enfant de cet âge-là, 300 $ pour des montures, c'est rien. Lollo a quatre ans.

Je plains les hommes. Surtout quand leurs femmes se proclament à haute voix *bitches* suprêmes. Il y en a une à la radio, Marie-Fange quelque chose, qui le rappelle constamment. La femme en bitch est au Québec reine et maîtresse. À la télé, les dramaturges de l'heure sont trois énormes femmes, deux grotesques et la troisième, gigantesque. Ce qu'elles écrivent est à pleurer, littéralement et figurativement. Et elles dominent les cotes d'écoute en écrasant les hommes, ce qui n'est pas difficile compte tenu de leur poids.

Dans les journaux aussi, la femme bitch est suprême. Il y en a une en particulier, Magalie Pititrudku, qui écrit mille méchancetés par semaine sans que personne ne s'insurge. Elle fait partie de ce lot de femmes qui, sans être lesbiennes, peut-être parce qu'elles ne peuvent pas l'assumer, détestent les hommes, les dénigrent, les ridiculisent, les avilisent, et je dois reconnaître que leur tactique vicieuse donne des résultats impressionnants. Les hommes s'écrasent devant elles. Pauvres petits eux. Ils n'ont vraiment aucune chance.

Moi, au contraire, j'adore les hommes et tout ce qu'elles leur reprochent en particulier, leur naïveté, leur infantilisme, leur lubricité, moi j'adore. Entre hommes, les rapports sont tellement plus simples. Un homme se lit comme un livre ouvert. C'est ce qu'elles leur reprochent aussi. De ne pas être retors, comme elles le sont, elles. Elles les accusent de ne pas savoir mentir, de ne pas en avoir l'intelligence. Je les plains. Pauvres hétéros. Quel autre leurre.

Ici, cette année, dans un concours de popularité, les Canadiens français ont élu comme personnalité de l'année une femme, animatrice de télé, Shiacritine LaBrouette, qui cache sa personnalité de serpent venimeux dans une voix de velours sauf que nous sommes quelques-uns quand même à percevoir les persifflements qu'elle laisse échapper involontairement, j'imagine, çà et là. Une femme qui toujours ne s'habille que de noir de la tête aux pieds. Quand j'ai entendu cette nouvelle, j'ai pensé qu'ils avaient choisi quelqu'un pour porter leur deuil mais je ne savais pas lequel. De ne pas avoir su devenir? Quand j'en ai parlé à David, il ne savait pas lui non plus.

C'est tout ça, vivre en français en Amérique. Méprisé de toutes parts, tant au pays que dans la mère patrie. On n'a qu'à suivre les débats sur le doublage des films pour savoir ce que les Français pensent vraiment de la langue qui est parlée ici. Sans oublier la fameuse sortie de Grançoise Safan il y a quelques années.

Ils n'ont pas tort, les Français. C'est sûr que quand on les écoute charcuter la langue comme ils le font, on se demande où elle est leur fierté? Moi je crois, après toutes ces années passées avec eux, qu'ils n'en ont pas. Les pauvres, ils sont tellement encore à genoux que justement n'importe quel Français ou Belge minable qui ne réussit pas là-bas peut venir s'installer ici et prendre devant eux un poste à Radio-Canada. Ça se fait encore beaucoup, c'en est plein.

Je risque une prédiction. Dans cent ans, au rythme où vont les choses, il y aura quelque part, probablement au Lac-Saint-Jean, un baroud d'honneur des dernières communautés francophones d'Amérique. Et puis, ce sera la fin. Personne ne sera plus intéressé. Comme pour les Amérindiens.

Ce que je leur souhaite quand même, c'est une vengeance à la mesure de leur humiliation. S'ils doivent glisser vers l'anglais, ce qui est inévitable maintenant, j'espère qu'ils le feront vers le Sud et non pas vers l'Ouest. Déjà, les rares qui ont eu le courage de traverser la frontière ont connu un succès monstre. Alors qu'à Toronto, on les a bloqués et on les bloque encore jusqu'à ce qu'ils sèchent.

Mon ami Momo, qui ne parle pas anglais, ce qui étonne toujours la grosse Mme F qui me disait à tout coup: c'est incroyable, à Montréal, ne pas parler anglais, *can you imagine?*, mon ami Momo donc m'a demandé un jour si je ne pourrais pas téléphoner pour lui chez H & R à Toronto afin de prendre rendez-vous pour qu'il puisse leur montrer sa collection de maillots de bain pour hommes. Pas de problème, lui ai-je dit, et le lendemain, j'ai téléphoné. Tandra San n'était pas au bureau et j'ai fait l'erreur de laisser le message de rappeler Momo Design à Montréal. Quand, au bout d'une semaine, je n'avais toujours pas eu de retour d'appel, j'ai retéléphoné et laissé le même message, avec le même résultat. La semaine suivante, au troisième coup de téléphone, j'étais dans la lune et j'ai dit à la téléphoniste de demander à Tandra San de rappeler Charles Burroughs. Trente minutes plus tard, je l'avais au bout du fil. Quand elle a réalisé que c'était Momo Design de Montréal, il y a eu un long silence au cours duquel j'ai réussi à lui arracher un rendez-vous un mois plus tard. En personne, m'avait-il dit, il se débrouillerait mieux, il n'aurait pas besoin de moi. Momo est *cheap* et ne voulait pas payer pour m'emmener avec lui. Inutile de dire qu'il est revenu de T.O. bredouille et humilié. Tandra San l'a reçu à peine cinq minutes en relançant les maillots sur la table, prétextant qu'ils n'étaient pas suffisamment de qualité pour H & R. Bizarre, parce que Momo Design se vend depuis cette année sur la Côte d'Azur et s'il y a des gens au monde qui sont critiques et impossibles, c'est bien les Français. De toute façon, cette anecdote illustre bien la place des Canadiens français dans ce beau Canada où un million d'enfants se couchent le soir le ventre creux. Mais je crois que j'ai déjà dit ça.

C'est tout ça, vivre en français en Amérique.

C'est vivre enfermé dans un ghetto, tenu à l'écart de part et d'autre, les deux parts ayant tout intérêt à maintenir cet écart.

Je soupçonne d'ailleurs tout cet engouement pour la culture du bas, celle que Trichel Memblay a contribué le premier à mettre sur la place publique, et qui a maintenant cours normal, de n'être qu'une partie d'un vaste complot entre les deux élites du pays pour faire croire aux petits Canadiens français qu'ils n'ont pas à chercher à s'élever, qu'ils sont bien là où ils sont, tout en bas. Regardez, on vous montre comme vous êtes. Vous êtes O.K. *Don't go changing*, comme le dit une de mes chansons préférées des années 70. C'est une façon bien ingénue, il faut l'admettre, de garder les gens à leur place.

C'est donc tout ça vivre en français en Amérique.

Une fois, un après-midi, David avait invité Guylaine et Alice, nos voisins d'en haut, pour le thé. Il voulait leur montrer quelque chose, je ne me rappelle plus quoi. Nous étions assis au salon et Guylaine, en pointant la photo du Duc et de la Duchesse, celle prise par Cecil Beaton pour leur album de mariage, a demandé: c'est qui ça? Et j'ai répondu: mon oncle David et ma tante Wallis. Wow, y sont riches, qu'il a répondu. Et j'ai souri à David. Un autre jour, quand elle est morte, je crois, j'ai découvert avec stupéfaction que Willie ne savait même pas qui était Jackie. Il faut le faire.

Mais dans la vie, on a toujours sa part de responsabilité. C'est toujours 50-50. Quand j'ai connu David et qu'il m'a demandé qu'on habite ensemble, j'ai hésité avant d'accepter d'emménager dans son apparte du Village. Je m'étais juré de ne jamais descendre en bas de la côte. Puis je me suis dit qu'il ne fallait pas que je sois si snob après tout et j'ai pensé à Anna Magnani qui, toute sa vie, avait préféré et choisi de vivre dans le quartier le plus pauvre de Rome. Alors j'ai dit oui. Et un jour de ce printemps dernier, j'ai trouvé chez Mme G une biographie de la Magnani avec plein de photos. Une prise dans son salon à Rome justement, posée à côté de sa cheminée allumée qui lui arrivait aux épaules et des plafonds de vingt pieds décorés d'une tonne de stucs rococo et j'ai su que je m'étais fait avoir. Le soir, j'ai dit à David que je voulais qu'on déménage et, depuis, les choses se sont tellement détério-rées avec nos voisins qu'il le faudra, qu'on le veuille ou non, sinon je mets un contrat sur Alice, la vieille crisse, comme je l'appelle.

Je ne sais pas où on ira, le Plateau me fait chier, le boulevard Saint-Laurent, lui, a changé pour le pire, le ghetto McGill est trop dangereux avec tous ses petits homos réprimés qui violent les filles pour se prou-ver et tabassent les gais pour se vanter. La Petite-Italie, il y a le marché mais c'est tout et c'est un peu loin, et au centre-ville il n'y a pas d'épi-cerie. Je reluque les abords de Westmount mais je ne sais pas comment David va le prendre. Hors de son monde, je ne sais pas s'ils pourrait survivre. Je vais lui en parler et on verra.

Mais vivre en français en Amérique, c'est déjà pour moi à moitié terminé. Je ne regarde plus Radio-Canada, je n'écoute plus que *Les Annales du disque*, le samedi matin, pour connaître les nouveautés, c'est comme ça que j'ai découvert Flenée Reming. Alberto m'a dit que, la dernière fois qu'il était allé à Carnegie Hall, elle était là et on disait déjà que c'était LA prochaine grande voix. Mais à part ça, rien d'autre en français pour moi. C'est déjà fini. Je retourne d'où je viens et je boucle la boucle, la vie est un éternel recommencement.

# CHAPITRE 19

# Si j'ai écrit ces mémoires

Si j'ai écrit ces mémoires, c'est que justement ces jours-ci, l'esprit de ma grand-mère Burroughs tourne autour de moi, comme si j'allais bientôt entrer dans ce passage lumineux qui me mènera là où, je l'espère, on ne nous a pas menti.

Ce n'est pas la première fois que j'ai une prémonition de ma mort. L'été dernier, un matin, je me suis levé avec la certitude que ma dernière heure était à quelques heures seulement. Ça m'a fait un petit pincement, pas plus. Moi qui croyais avoir si peur. J'ai demandé à David un morceau de papier. C'était une journée magnifique. J'étais assis à la table sur la terrasse et je regardais les bourdons bourdonner d'un plant de tomate à l'autre. J'étais prêt à mourir. Sur le morceau de papier, j'ai écrit que je léguais mon chalet à David et tout l'argent que j'avais dans mon compte en banque. J'ai mis le papier dans une enveloppe que j'ai scellée et identifiée «testament», et je suis parti travailler. David a toujours l'enveloppe.

J'ai écrit ces mémoires parce qu'un jour je vais mourir et que je vais sûrement mourir avant David. Je voulais lui laisser quelque chose au cas où, un jour, il voudrait se souvenir. Nous n'avons pas beaucoup de photos, je ne suis pas très photogénique. En fait, nous n'avons aucune photo encore de nous deux ensemble. Il faudra le faire cet été si je suis encore là. Dans le jardin qui sera, je l'espère, encore plus beau que l'an dernier. Cette année, il y aura des glaïeuls, la fleur préférée de David, et des pivoines mais sans fleurs. Elles prennent trois ans à fleurir après leur plantation. Il semble aussi qu'on aura beaucoup du muguet que Madame G nous a donné l'an dernier quand elle nous a fait travailler dans son jardin comme des forcenés. Jamais plus je ne vais offrir à quelqu'un de l'aider à faire son jardin. J'avais bien dit aider pas faire. Une chance que David est venu avec moi pour me soutenir le moral parce que je ne m'en serais jamais sorti. Ça nous a pris trois jours complets pendant qu'elle nous regardait faire et nous donnait des ordres. Après, j'ai eu tellement mal au dos que ça m'a coûté trois cents dollars de chiro, et tout ce que la vieille vache nous a donné pour nous remercier, c'est un souper au spaghetti froid, au coin de la table de cuisine, à la sauvette, pas d'apéro, pas de hors-d'œuvre, pas de vin, même pas de pain, Madame doit maigrir. Elle ne maigrit pas, ses armoires de cuisine sont remplies de boîtes de biscuits. Je ne pensais pas qu'on en faisait autant de sortes, il y en a de partout. Même pas de dessert, pas de café non plus. Avec mes amis, qu'elle nous a dit, il n'y a pas de formalités, c'est à la bonne franquette, comme on dit ici. Avec des amis comme elle, j'ai vraiment pas besoin d'ennemis.

J'étais tellement enragé dans l'auto au retour que David a dit: Charles, j'ai peur, si tu te calmes pas, j'aime mieux rentrer tout seul à pied avec le chien s'il le faut. J'ai peur. David est le seul être au monde qui me fait faire ce qu'il veut. J'écoute tout ce qu'il me dit, je suis toujours ses conseils, sans exception. Il a toujours raison. Je ne sais pas ce que je serais devenu sans lui ces dernières années. J'ai stationné la voiture, nous venions juste de quitter la vieille escogriffe, et nous sommes allés prendre un café dans un resto avec vue sur la rue. Si j'avais eu une mitraillette, je les descendais tous tellement ils me faisaient chier ces gens qui marchaient sur la rue Sherbrooke ce soir-là, avec une grosse carotte, immense, bien plantée dans leurs puants trous de cul.

Quand je ne parle pas, David sait que c'est parce que je rumine des plans de vengeance d'un sadisme qui me fait me demander si, dans ma vie précédente, je n'ai pas été capo d'un camp de concentration quelque part. Allez, Charles, oublie ça, vite, finis ton café, on va aller voir si l'antiquaire a encore la table Louis XIII. Il est le seul à savoir exactement comment *defuse the bomb*, comme on dit dans ma langue.

C'est pour lui, pour qu'il se rappelle que j'avais un caractère difficile, comme on dit des gens qui gueulent, se battent et ne se laissent pas écraser facilement, et que, finalement, peut-être que le prochain il pourrait se le choisir un peu plus facile que moi. Parce que je le sais, juste à la façon qu'il me dit qu'il m'aime, que ce ne sera pas facile pour lui après. Il me dit toujours qu'on mourra ensemble et je réponds toujours: mais non, mais non, ta vie va continuer, mon pit, après, tu vas rencontrer quelqu'un d'autre, oui David, il le faut, promets-moi. Tu vas probablement être encore jeune quand je vais mourir. Une fois, il m'a dit que, pour connaître l'âge de son décès, il fallait additionner l'âge de décès de ses quatre grands-parents et diviser par quatre. Dans mon cas, ça fait $49+53+69+70 = 241÷4 = 60,25$, ce qui veut dire qu'il me resterait un peu moins de douze ans et dans douze ans, David aura quarante-deux. C'est jeune encore. Je l'ai bien connu quand j'avais quarante-quatre, moi.

C'est ce que j'essaie de lui dire. Pour le moment, il ne veut rien savoir. Il me dit qu'il veut qu'on fasse comme Joe Orton et Halliwell, il veut que nos cendres soient mêlées et éparpillées quelque part, probablement à Saint-Calixte, sur le lac devant le chalet. Mais je sais qu'à la longue, il m'écoutera. Il m'écoute toujours. Quand ce que je dis a du bon sens.

J'ai écrit ces mémoires aussi pour moi. Je voulais qu'il reste de mon passage ici un petit quelque chose, un témoignage. De cette vie de merde que j'ai eue. Comme cette lettre écrite sur papyrus par un ouvrier égyptien 3 000 ans avant nous. Il écrivait à sa femme pour lui dire qu'après avoir payé tous les impôts, c'est tout ce qui lui restait, qu'il regrettait de ne pas pouvoir lui en envoyer plus et qu'il allait demander à son contre-maître des heures de travail supplémentaires parce que ce qu'il faisait, il le réalisait, n'était vraiment pas assez, mais qu'il était loin d'être sûr que sa demande allait être reçue. Cette lettre date de 5 000 ans. Et vous voulez me faire croire que l'humanité a fait des progrès? Allez chier, maudits menteurs!

Voilà. Peut-être que dans 5 000 ans, quelqu'un quelque part trouvera mon ordinateur – c'est un SuperMac, si j'en crois la pub, il devrait résister jusque-là – et qu'en jouant dans mon disque dur, il trouvera ce document, le déchiffrera, le fera publier, et un autre petit merdeux qui se fera chier à travailler pour des grosses connes sur Mars ou Jupiter le lira et se dira: crisse, y a rien qui a changé.

*Tidbits*

# 1. Extraits de mon Journal d'un homme de ménage

*Hier, c'était l'anniversaire de David. Modestes célébrations, cadeaux sur mes cartes de crédit. Apéro chez Nise, mais on n'a rien à se dire, elle et moi. Denis est trop malade pour aller au resto. Retour à la maison, pizza, télé, dodo. Aujourd'hui, j'ai mal partout moi aussi, je pense que j'ai attrapé ce qu'il a.*

*Au téléphone, ce midi, j'ai parlé à David pour la première fois de faire publier dans les journaux des extraits de mon journal. Un peu comme une chronique, une fois par semaine. J'ai vérifié, et il y en aurait assez pour un an. Ce serait la voix des opprimés. Il n'y a rien de nous dans les médias. Ils nous rendent omniprésents, je ne sais pas si c'est le bon mot, je veux dire présents mais pas plus, comme un brouillard. Il y a pourtant 20 % de la population au Québec qui vit sous le seuil de la pauvreté. Je ne suis donc pas le seul à avoir dégringolé au bas de l'échelle. Pourquoi est-ce qu'on n'entend plus parler de l'Association des écœurés au Québec? Qui les a achetés?*

*Il y a tellement de choses qu'on pourrait faire. En douceur, un mouvement de résistance. Un maquis. Une nouvelle cour des Miracles. Sur Internet.*

*Toute la semaine passée, j'ai relu dans le métro mon journal. Ce que pensent mes clients anglophones. Ce que m'ont dit mes clients francophones. Et moi, pris entre les deux. Mme G qui m'avait menacé si je ne votais pas non au référendum. Et Mme F qui dit que le français à Montréal, de toute façon, c'est fini, c'est folklorique.*

Il y a aussi des moments où je parle de la difficulté de vivre dans une seule langue. Vivre avec David signifie vivre en français exclusivement. Je n'étais pas habitué. Je trouve le français une langue rébarbative. Je ne comprends pas pourquoi, pendant la Révolution, on n'en a pas profité pour guillotiner l'Académie française. Ç'a été difficile. Et de comment la vie, vue de cette perspective, m'apparaît bien étroite. Une ouverture sur le monde qui manque.

Reste quand même que les deux camps m'auront traité finalement de la même façon: pire qu'un chien. Sauf qu'on voit que mes compatriotes en ont plus l'habitude. Ils le font avec plus de flair et avec un plus grand sourire. Et puis, je parle aussi de ma débâcle, de comment je me suis rendu jusqu'ici en bas, en bas. Pas larmoyant pour deux sous. Stoïque, très stoïque. Épictète aurait été fier de moi.

Dans l'ensemble, les extraits que j'ai choisis représentent bien la vie d'un pauvre homo ordinaire, bilingue, marié en quatrième noces déjà, à un beau garçon canadien-français, le premier et le dernier, handicapé et vivant dans le Centre-Sud, le quartier le plus pauvre au Canada, avec un petit chien saucisse têtu, Max, la joie de sa vie. Ça fait Walt Disney presque. Enfin, dans cinquante ans peut-être. Bette Midler sera morte. Quel dommage.

David est emballé par le projet. Il m'adore. J'espère que je le lui rends bien, mais des fois j'ai des doutes et ça me fait mal. Reste tout de même qu'il s'agit de The Gazette, «un journal fasciste, surtout depuis que Marbara Abiel y publie ses vomis» — ça, c'est pas moi qui le dis, je l'ai entendu l'autre jour à la radio. Et du Devoir, le journal des bien-pensants qui aiment bien qu'on pense qu'ils pensent bien. Pas plus. Mais ce sont les seuls journaux qu'ils lisent, miroirs déformants. Dans le mien, ils pourraient se voir au moins à la lumière crue du jour. Comme Madame Du Barry aimait le faire.

On verra. Je me demande si et combien ça paie, 800 mots, je ne sais pas. Je leur enverrai quand même trois textes.

156

*Deux ans aujourd'hui que j'ai commencé à travailler à mon compte. Le résultat n'est pas celui que j'espérais.*

*Au début, j'avais pensé faire seulement des bureaux. Mais sans avance de fonds pour attendre que les contrats rentrent, c'était quasiment impossible. Je n'ai finalement qu'un seul bureau, celui, immense, de mon petit couple sado- maso. Puis, nécessité oblige, j'ai dû accepter de faire leur condo. D'eux, j'ai eu Mme T et d'elle, j'ai eu la B.S. Et la roue a tourné et je me suis retrouvé à six jours par semaine, cinq en résidence et le samedi au bureau.*

*Je ne me plains pas. Je paie les comptes. David ne travaille pas beau- coup. Sur appel, dans trois garderies qui ne l'appellent presque jamais. Tant qu'il n'aura pas terminé son certificat, ça sera difficile. On mange, c'est tou- jours ça, et on paie le loyer. On essaie de garder les cartes de crédit à moitié. On se garde à flot (avec un s?), mais il ne faudrait pas un mauvais coup, je touche du bois.*

*Des fois, je pense à Céline au Y et je n'arrive pas encore à lui pardon- ner de m'avoir traité de la sorte. D'un côté, je suis soulagé de ne plus l'avoir à la gorge, mais de l'autre, je me dis que si je me retrouve aujourd'hui dans la merde, c'est ce que je fais après tout, nettoyer la merde des autres, aujour- d'hui celle de M. et Mme G, c'est à cause d'elle.*

*Ce qui n'est pas tout à fait vrai. J'aurais pu lui tenir tête, j'aurais pu me tenir debout, me défendre. J'aurais dû. Mais quand je me vois à qua- tre pattes devant mes clients, je vois bien que finalement... Alberto dit tou- jours qu'il faut être deux pour danser le tango, alors.*

*Puis, ç'aurait pu être pire. Au moins, j'étais avec David quand j'ai reçu mon dernier chèque d'assurance-chômage. Au moins, on avait un chez-nous. C'était un taudis, mais avec beaucoup de possibilités.*

*Ça m'a aussi permis de découvrir que je suis pas mal plus débrouillard que je pensais et que j'ai quand même moins mauvais caractère que Denise le dit. Pour avoir enduré Mme T et maintenant Mme Z, je ne connais pas beaucoup de monde qui tiendraient le coup comme moi. Même leurs maris les ont lâchées.*

*Après tout, je gagne ma vie. C'est pas aussi reluisant que de travailler à McGill ou Concordia mais c'est honnête. Et je suis pas assisté social. Au début, quand je rencontrais des gens que j'avais croisés dans des moments,* disons, plus fastes de ma vie, j'étais gêné de dire que j'étais homme de ménage. Puis, au lieu, j'ai développé le réflexe de sortir la carte d'affaires que je m'étais fait faire et maintenant, c'est tout naturel et ça fait beaucoup moins mal. On dira ce qu'on voudra, mais il y a une grande différence dans le regard des gens, je le sais, je l'ai vécu.

C'est sûr que j'aurais pu faire mieux. J'aurais pu persévérer et continuer à me chercher un poste d'adjoint administratif. J'ai encore les diplômes et l'expérience. Mais après un an à être allé porter en personne 260 offres de services, comme on les appelle maintenant, pour obtenir seulement trois ou quatre entrevues et me faire dire que j'étais peut-être un peu trop expérimenté, un peu trop vieux, j'en ai eu ras le bol. Dans une entrevue, j'ai même montré les lignes de ma main à l'intervieweuse et je lui ai dit: madame, je devais pas vivre aussi vieux, la chiromancienne m'avait dit quand j'avais 18 ans que je dépasserais pas 35, elle me l'avait juré, c'est pas de ma faute. J'avais pas prévu ça moi non plus. Avoir su... Elle n'a même pas ri, j'ai claqué la porte.

En fait, j'avais plus le temps d'attendre. J'avais plus d'argent. On dira ce qu'on voudra, mais l'argent, c'est la liberté. Si j'avais écouté mon père aussi au lieu de me débattre contre lui comme un déchaîné. Si, si, si...

Par contre, je ne sais pas jusqu'où cette aventure dans les égouts de Montréal va me mener. Une autre façon de voir les choses. Tout est là. Toujours.

Zen. Nous sommes les geôliers des prisons dans lesquelles nous nous enfermons. Ohm. Ohm. Ohm.

*10 °C dans la chambre quand je me suis levé ce matin. David refuse de chauffer. Ça va coûter trop cher. Et déjà qu'on n'a pas beaucoup d'argent pour Noël. L'impératrice douairière a parlé, j'ai plus rien à dire. Je le sais, je me suis déjà essayé. Je n'ai qu'à m'incliner. Même Max est venu nous rejoindre dans le milieu de la nuit. On a dormi les trois collés collés. C'est quand même pas si mal, à dire vrai. Moi d'un côté, Max de l'autre, David au milieu, une vraie fournaise.*

*Normalement, j'adore Noël. L'arbre, les décorations, la dinde, la bûche, la galantine, les cadeaux. Sauf que cette année, Noël tombe mal. Un mercredi: ça veut dire que je manque une journée de travail. En fait deux, le 26 aussi. Ça fait pas beaucoup de sous ça. Et le Nouvel An, la même chose, je ne travaille pas non plus le 31, Mme Z m'avait déjà avisé au début novembre qu'elle va être partie à Toronto. Une chance que la femme du vet m'a déjà demandé de rentrer le 2. Je pense qu'elle reçoit sa belle-famille le 1ᵉʳ. Je ne lui ai pas demandé.*

*En deux semaines, je vais quand même faire seulement 300 $. C'est pour ça que David réduit nos dépenses au max. Et si je me fie aux années passées, je peux vraiment pas compter sur la générosité de mes clients pour me renflouer.*

*Mme F m'avait donné 20 $ l'an dernier, mais cette année elle a fait beaucoup de rénovations, les armoires de cuisine entre autres, et elle m'a déjà averti qu'elle partait un mois en Floride en janvier/février. Alors, je sais pas. Mme G, elle, m'avait donné 50 $, mais à ma dernière visite, juste avant Noël, je lui avais raconté la triste histoire de ma belle-sœur, fille-mère sans le sou au tréfonds des bois et elle avait ressorti son carnet de chèques. Cette année, je sais pas si je serai capable de battre ça. On verra.*

*Quant aux autres, Mme Z va me donner une vieille chandelle toute ramollie, elle en a des milliers dans sa cave, vestiges d'une compagnie qui a foiré. Mme V m'avait donné une belle carte de Noël avec un gros merci écrit en rouge. Le petit couple S&M, la plus petite boîte de chocolats au monde, l'an passé il y en avait quatre morceaux mais ils étaient succulents. B.S. m'avait refilé un cadeau qu'elle avait déjà reçu et qu'elle n'aimait pas, un disque qui n'avait pas de cellophane autour, c'est comme ça que j'ai su. MaryRose m'avait offert un rejet en coton ouaté avec une fermeture éclair* posée tout croche. Mme T m'avait donné la première année un gros 10 $ même pas dans une enveloppe et il avait fallu que je lui embrasse les deux joues flétries et fardées un quart de pouce. Ouache. Et la femme du vet, une cochonnerie qu'elle avait concoctée elle-même.

Finalement, la plus gentille, en cadeaux, c'est Mme L. Chaque année, une bouteille de scotch. C'est mon seul rayon d'espoir. Parce que David a été formel. Cette année, pas de sherry, pas de porto, pas de stilton, même pas de cigare. Ça va être dur.

Mais plus dur encore. Il m'a interdit de dépenser plus de 20 $ pour son cadeau. Qu'est-ce qu'on peut bien avoir pour 20 $ pour dire à quelqu'un que, sans lui, cette vie de merde ne serait justement que ça?

Pour mes clients, pauvreté oblige, je leur ferai moi-même des biscuits, des sablés. En fait, je me croise les doigts pour que David les fasse. Il les réussit si bien avec de belles cerises rouges et vertes. Et pour pas faire trop chenu, je leur coudrai à chacune une belle nappe à thé dans un tissu trouvé sur Saint-Hubert à 1 $ le mètre avec des petits glands or aux coins qu'on a dénichés chez Explosion pour trois fois rien mais qui ont l'air d'un million. J'envelopperai les boîtes à biscuits dans les nappes avec un beau ruban en velours synthétique rouge mais qui a l'air à s'y méprendre à du vrai: ce sera pas trop mal.

Bon, dodo. Demain, grosse journée chez Mme von M. Elle, c'est une nouvelle cliente qui remplace les S&M alors je ne sais pas à quoi m'attendre pour Noël. Elle m'a demandé pour demain de laver ses dedans d'armoires de cuisine, en plus, bien sûr, des trois étages, des trois salles de bains et de la moquette beige — posée à la grandeur de la maison — sur laquelle ses deux monstres de filles échappent leurs bouteilles de vernis à ongles — la semaine dernière il était moutarde — et sur laquelle également ses trois immenses chats angoras noirs se roulent à longueur de journée. Je saute de joie.

# 2. Extrait d'*Histoires d'amour de l'Histoire de France*

## de Guy Breton

«Il faut dire que les braves gens qui composaient la foule étaient encadrés par des individus extrêmement louches, venus de l'étranger ou de province dans l'espoir de piller tout à leur aise, et surtout de femmes peu recommandables.

Ce sont ces femmes qui furent les principales responsables des atrocités commises pendant la Révolution française. Sans elles, le formidable bouleversement qui secoua le pays n'aurait pas été aussi sanguinaire; sans elles, la Terreur n'aurait pas eu lieu, sans elles, Louis XVI n'aurait peut-être pas été guillotiné...»

Voici d'ailleurs comment les jugeait un conventionnel, Philippe Drulhe:

«Quand la tête du condamné tombe sous le glaive de la loi, un être immoral et méchant seul peut s'en réjouir.

Il faut le dire, à l'honneur de mon sexe, si l'on rencontre quelquefois ce sentiment féroce, ce n'est guère que dans les femmes; en général, elles se montrent plus avides que les hommes de ces scènes sanglantes; elles regardent sans frémir le jeu de ce glaive moderne, dont la description seule fit pousser un cri d'horreur à l'Assemblée constituante qui ne voulut jamais en entendre la fin: mais c'était une assemblée d'hommes; les femmes sont cent fois plus cruelles.»

Plus loin, il ajoute:

«On remarque que ce sont elles qui, dans les mouvements populaires, se signalent par les plus horribles abandons, soit que la vengeance, cette passion chérie des âmes faibles, soit plus douce à leur cœur, soit que, lorsqu'elles peuvent faire le mal impunément, elles saisissent avec joie l'occasion de se dédommager de leur faiblesse, qui les met dans la dépendance du sort.»

Extrait du tome VI intitulé *Quand l'amour était «Sans-Culotte»*, chapitre 4, «Théroigne de Méricourt, Messaline de la Révolution».

# 3. Vu d'en bas. 2.

*Jusqu'ici, David a travaillé sur appel dans quatre ou cinq garderies. Au début, il y a deux ans, quand il commençait son certificat, il se retrouvait en bas complètement de leurs listes de rappel. Il ne travaillait presque pas.*

*Mais David est comme moi. Le travail n'est pas une priorité. D'abord qu'on paie les comptes, qu'on va au cinéma ou dans un petit resto pas cher comme le Mazurka une fois de temps en temps, c'est correct. C'est sûr que des fois on parle d'acheter une petite maison comme celle de Virginia Woolf avec une cheminée dans le salon et des livres partout, mais on le fait surtout avant de s'endormir pour faire de beaux rêves.*

*Une fois, en entrevue, c'était l'année dernière, pour un poste d'inter-vieweur dans une compagnie de sondages, je ne me rappelle plus laquelle, ça payait 8,50$, j'ai dit à la jeune femme qui me demandait si j'étais prêt à m'investir entièrement pour me joindre à cette jeune entreprise dynamique et toute cette bullshit habituelle: vous savez, j'ai beaucoup voyagé et partout où je suis allé j'ai visité les cimetières et, croyez-le ou non, mais je n'ai jamais vu jusqu'ici une pierre tombale avec le sigle d'une compagnie sous lequel était écrit que cette personne était une employée modèle et que son souvenir serait chéri pour toujours. Elle ne m'a jamais rappelé.*

*Mais je me suis éloigné de mon propos.*

*Au début, comme je l'ai dit, David ne travaillait pas beaucoup, une journée par-ci, par-là. Il était nerveux, comme quand on commence un nouvel emploi, et pour lui, presque chaque fois qu'on lui téléphonait, c'était comme commencer à nouveau. Il faisait sa petite affaire avec les enfants, David adore les enfants et les enfants l'adorent. Je lui ai dit une fois que si ç'avait été possible, c'est avec lui que j'aurais aimé avoir des enfants, trois,* quatre au moins. Il avait peu de contacts avec ses collègues de travail et n'avait pas le temps d'observer quoi que ce soit.

Mais maintenant que son certificat est presque terminé, il travaille beaucoup plus. Les deux dernières semaines, il a travaillé tous les jours. Il a maintenant un contrat ferme deux jours/semaine et il est question qu'il en ait un dans une autre garderie pour les trois autres jours.

Le problème depuis qu'il travaille plus, c'est qu'il revient à la maison avec des histoires bizarres. La première histoire, c'est celle d'Audrey, une petite fille de deux ans. Elle a tout le corps couvert de galles. David a demandé et personne ne sait ce qu'elle a. Une éducatrice lui a dit qu'elle est comme ça depuis qu'elle est à la garderie. Quand il a demandé à sa maman, il ne l'a pas bien comprise mais il semble qu'elle voie un mécecin et qu'il n'y ait rien à faire. Mais elle n'a pas pu lui dire ce qu'elle a.

Personne ne prend jamais Audrey dans ses bras. David dit qu'il est le seul, il la berce et la fait rire. Il dit qu'elle rit à un rien. Les autres enfants ne jouent jamais avec elle et on ne les y encourage pas. On la laisse normalement seule dans un coin à se bercer dans sa petite chaise berçante. Elle ne mange jamais, sauf avec David qui la prend dans ses bras à l'heure du midi et qui la nourrit de son assiette à lui. Un jour qu'il travaillait, il y avait du pus qui coulait des galles. Quand il a demandé s'il y avait une crème qu'il pouvait mettre et des bandages, on lui a répondu que ce n'était pas nécessaire.

Deuxième cas. Dans une autre garderie, Karina, deux ans, ne veut pas aller jouer dehors. C'est l'hiver. On l'habille quand même. Et on la laisse dans le corridor. Elle pleure tellement que David sort de son local pour voir ce qui se passe mais on lui dit de ne pas s'en mêler, que Karina doit apprendre. Elle reste là tout le temps que les autres sont dehors. Tout habillée, chapeau, bottes, mitaines, foulard autour du cou.

Troisième cas. David travaille avec Vicky, une Française obèse dans une garderie en milieu défavorisé. Le matin, ils jouent au jeu magique. Un jeu dans chaque coin. Les enfants choisissent un coin. Céleste n'aime pas le coin qu'elle a choisi. Quand elle demande si elle peut changer de coin, Vicky lui dit qu'elle doit apprendre à assumer ses choix et qu'il est impossible qu'elle change d'idée maintenant. Céleste a quatre ans.

Plus tard dans la journée, tout le monde est assis autour de la table et chacun parle à tour de rôle. Quand c'est le tour de Céleste, elle dit qu'elle n'a rien à dire. Trois minutes plus tard, elle lève la main. Vicky lui dit: non ma fille, assume, tu as dit non tout à l'heure, maintenant c'est trop tard. David dit que Vicky déteste Céleste mais il ne sait pas pourquoi. Elle est adorable.

Quatrième cas. Une prof de David lui téléphone à la maison pour lui demander s'il a déjà travaillé dans une certaine garderie. Il répond que oui mais avec les poupons seulement. Elle lui demande s'il sait que pour punir les enfants, on les enferme dans la toilette, la lumière éteinte. David sait.

Et vous, vous savez comment vos enfants sont traités à la garderie?

# 4. Lettres que j'ai écrites pour David

*Montréal*
*le 4 juin 1996*

*Madame Hounielle Dalele*
*Coordonnatrice*
*Garderie La Verrouilleuse*

*Madame,*

*Vous trouverez ci-joint copie de la lettre que je voulais vous faire parvenir le 25 mai dernier. Si j'ai décidé à ce moment de ne pas vous la remettre, c'est que j'ai jugé, vu l'état précaire dans lequel je me trouvais chez vous, qu'il valait mieux me taire pour l'instant et ne pas créer de vague qui pourrait dans son ressac me causer plus de tort que de bien. Je dis toujours que dans la vie il est préférable d'être roseau que chêne, le roseau, si vous vous rappelez la fable de La Fontaine, se relevant après la tempête alors que le chêne, lui, se casse pendant qu'elle se déchaîne.*

*Si je vous la transmets finalement aujourd'hui, c'est que je viens de recevoir une très mauvaise nouvelle.*

*En effet, sans avertissement préalable, on m'annonce à l'instant que, vu la mauvaise évaluation de mon travail, La Verrouilleuse n'aura plus, dans deux semaines exactement, besoin de mes services. Je suis, vous le comprendrez peut-être, dans un état de choc absolu.*

*Rien jusqu'ici ne me laissait présager le renvoi qu'on m'a annoncé, n'ayant jamais eu avec mes deux co-équipières de rencontres informelles* pour m'indiquer où j'en étais dans ma probation. Tout ce qui me venait en tête, c'est que Néhèle m'avait dit qu'elle trouvait tellement agréable de travailler avec moi qu'elle avait hâte aux lundis. Quand j'ai demandé, dans un état d'atterrement total, s'il était possible d'avoir une copie écrite de ce qu'on me disait, on m'a tout simplement répondu que je n'avais qu'à prendre des notes et à me servir de ma mémoire. Tout ce dont je me souviens maintenant, c'est qu'une minute on m'a dit que j'étais trop doux avec les enfants et deux minutes plus tard on m'a dit que mon ton de voix quand je m'adressais à eux était trop fort. On me reprochait aussi d'être trop patient. À la fin de ce calvaire, quand j'ai demandé ultimement si mes points forts ne compensaient pas pour mes points faibles et si je n'avais pas droit à une seconde chance, on m'a signifié que la décision était irrévocable.

Ce qui me fâche le plus en bout de ligne, c'est que je n'avais pas vu le coup venir. Pourtant, avec le temps, j'ai appris que les gens finissent toujours par être égaux à eux-mêmes, mais cette fois-ci je ne me suis pas méfié. Je m'aperçois trop tard que Néhèle et Tanchal m'ont traité finalement avec le même manque de compassion, le même manque de délicatesse, le même manque d'attention, de respect et d'écoute qu'elles ont envers les enfants.

Je me croyais à l'abri de leurs petitesses parce que les enfants m'adorent et que je les adore. J'avais remarqué que les marques d'affection et d'amour que je reçois d'eux et des autres enfants des groupes où j'avais fait des remplacements à l'occasion n'étaient pas la norme pour mes collègues, mais je ne me suis pas inquiété. Après tout, si j'étais là, c'était pour les enfants. Il semble, comme d'habitude, qu'ils n'aient rien à dire et tout à subir.

Le monde des garderies est un monde nouveau pour moi, mais plus je m'y implique, plus je me rends compte que c'est un monde qui opère en fonction des gens qui y travaillent et non pas des enfants qui le fréquentent. Sinon, comment pouvez-vous m'expliquer qu'on laisse Camille la chenille se morfondre d'ennui couchée sur le plancher dans le local des poupons alors qu'elle est prête depuis longtemps à passer dans un groupe qui saura la stimuler? Parce que c'est trop d'inconvénients pour les éducatrices de l'autre groupe? Ou encore comment pouvez-vous expliquer qu'une de mes profs au cégep qui supervisait chez vous une stagiaire m'ait approché complètement abasourdie pour me demander si je savais qu'on enfermait les petits Lapins dans les toilettes pour les punir? Ce fait a été consigné à trois différentes reprises dans le travail écrit remis à cette prof.

*Quand je raconte ce dernier épisode à mes amis, ils bondissent de rage et d'indignation. Ils me supplient de dénoncer ces éducatrices indignes, certaines qu'on voit aussi partout en ville, dans les cours des garderies, dans les parcs, sur les trottoirs, se raconter leurs mille tracas par-dessus la tête des petits bambins qui n'y comprennent rien et qui sont laissés pour compte à eux-mêmes. Mais je n'osais pas, de peur. De peur de me retrouver à la rue. Et finalement, le pire m'arrive quand même. C'est toute une leçon.*

*Il y a quelque chose de vraiment pourri dans le royaume du Danemark, comme l'écrivait Shakespeare.*

*Je me compte tellement chanceux d'avoir eu, dans ma jeune enfance, tout l'amour et toute l'attention de ma mère, parce que, avec mon handicap, je ne sais pas où j'en serais aujourd'hui. C'est pour cette raison que j'entreprends ma démarche. Pour les enfants qui sont confiés à un milieu qui est censé être sensible au fait que la tendre enfance est la base du développement futur de tout individu et qui ne doit pas agir comme s'il se foutait de ce principe qu'on ne cesse de nous rappeler dans nos cours de formation. Quand je vois mes collègues se targuer d'être des professionnel(le)s, je me demande sérieusement sur quoi ces gens se basent pour appuyer leurs dires.*

*Voilà. J'espère qu'après dix-huit ans de travail en milieu de garde, je ne me retrouverai pas, moi aussi, à traiter collègues et enfants avec autant de désœuvrement, de désinvolture et de désintérêt. Et si cela avait le malheur de m'arriver, je prie pour trouver quelqu'un sur mon chemin qui fera bien son travail et me montrera la porte. De toute évidence, avec le peu de supervision que vous exercez sur le personnel, ce ne sera pas vous.*

*Vous comprendrez, j'en suis sûr, que dans ces circonstances, la survie de La Verrouilleuse ne me tient vraiment pas à cœur.*

*David Lasalle*

Madame Hounielle Dalele
Coordonnatrice
Garderie La Verrouilleuse

Madame,

Comme vous le savez, je travaille à La Verrouilleuse, depuis fin mars, 2 jours/semaine en remplacement des jours de congé de Tanchal, les lundis, et Néhèle, les mercredis. C'est le seul emploi stable que j'aie en ce moment.

Comme mon salaire n'est que de 140,35 $ par semaine, je travaille également sur appel dans d'autres garderies les mardis, jeudis et vendredis. Normalement, je travaille en moyenne un autre jour par semaine, mais parfois je suis plus chanceux et j'en travaille deux.

Comme vous le savez probablement aussi, il a fallu, comme il est coutume partout dans le milieu de garde, que je donne à toutes les autres garderies mes disponibilités et jusqu'ici, tout allait bien.

La semaine dernière, Néhèle me laissait un message sur mon répondeur. À cause de la réunion de mercredi soir de cette semaine, pour la survie de la garderie, elle préférait, elle, travailler ce mercredi-ci et me demandait de la remplacer plutôt jeudi pour qu'elle puisse ainsi profiter d'une pleine journée de congé. Vendredi matin, je laissais un message ici même à La Verrouilleuse expliquant que cela ne me convenait pas parce que de cette façon, je perdais la possibilité d'une journée de travail puisque les garderies ne m'appellent jamais ni le lundi ni le mercredi, mais toujours les mardis, jeudis et/ou vendredis.

En rentrant chez moi vendredi soir, vers 18 h 30, justement après une journée de travail sur appel, je trouve sur mon répondeur un message de Néhèle m'avisant que c'était bien dommage pour moi mais qu'elle tenait absolument à avoir sa journée de congé complète jeudi et qu'elle entrerait travailler à ma place mercredi et que jeudi elle s'était fait remplacer par quelqu'un d'autre. Et elle ajoute dans son message que je n'ai qu'à me mettre en disponibilité mercredi prochain pour les autres garderies. Tout apparaît tellement plus simple quand on a un emploi permanent. Et elle termine son message en me souhaitant une bonne fin de semaine.

Vous imaginez le week-end que son je m'en foutisme m'a fait passer. Moi qui croyais que nous travaillions en équipe.

Je n'ai aucune sécurité d'emploi en ce moment. Je ne m'en plains pas parce que j'ai su quand même bien m'en accommoder jusqu'ici. Mais aujourd'hui, je suis un peu perplexe. Il semble que sur un simple coup de tête, tout mon fragile système de survie s'effondre, sans avertissement.

Pourtant, au moment de mon embauche, il me semblait très clair que c'étaient les lundis et mercredis que je devais travailler et je n'avais reçu encore aucun avis contraire. Il n'avait jamais été question que mon gagne-pain allait être à la merci du moindre caprice de mes co-équipières.

Je trouve le traitement de Néhèle à mon égard non seulement très cavalier, mais dans ces temps difficiles comme nous les vivons en ce moment, tout à fait socialement irresponsable et carrément anti-syndical. Je compte d'ailleurs formuler une plainte au syndicat à son sujet.

Je vous écris parce que cette semaine, je veux être payé pour la journée du mercredi 28 mai que Néhèle me fait perdre absolument sans raison valable.

J'aimerais savoir également formellement si dorénavant mon horaire chez vous devient flottant parce qu'alors, il me faudra aviser les autres garderies pour lesquelles je travaille sur appel.

Pour cette raison, j'apprécierais une réponse de votre part le plus rapidement possible.

David Lasalle

*Montréal*
*le 5 juin 1996*

*Monsieur Bierre Beaupi*
*Président*
*Conseil d'administration*
*La Verrouilleuse*

*Monsieur,*

*Je vous fais parvenir sous ce pli des exemplaires des deux lettres que j'ai remises aujourd'hui en mains propres à Madame Hounielle Dalele, coordonnatrice de La Verrouilleuse. Vous en faites ce que bon vous semble.*

*Quand je suis allé les lui porter en personne ce matin, j'avais un vague à l'âme comme j'en ai rarement eu dans ma vie. Mais en arrivant à la garderie, j'ai croisé le groupe des Araignées qui en sortait et tous les enfants ont crié «David, David» en m'envoyant la main. Ils m'ont redonné d'un coup un goût immense à la vie comme seuls les enfants savent le faire dans l'expression spontanée et inconditionnelle de l'amour qu'ils portent naturellement en eux.*

*J'ai su en les regardant s'éloigner en continuant de me sourire que, peu importe ce qui m'arrivait à La Verrouilleuse, je continuerais à travailler en milieu de garde.*

*En entrant à la garderie, j'ai pensé qu'il serait étrange de ne plus y remettre les pieds après y avoir travaillé sur appel pendant si longtemps avant ce dernier contrat et je me suis demandé, tout à coup, à la lumière de mon renvoi, comment La Verrouilleuse avait pris tant de temps pour en arriver là. Je ne connaîtrai jamais la réponse à cette énigme que représente pour moi la gestion de votre garderie.*

*De toute manière, je survivrai, je le sais, et je trouverai bien une garderie où je serai apprécié. Après tout, je suis un adulte et je sais me défendre, tandis que les enfants de votre garderie ne le peuvent pas, eux.*

*C'est pour cette raison que je porterai les anomalies que j'ai relevées dans mes lettres d'hier à l'attention de Madame Bacqueline Déjard, présidente de l'Office des services de garde à l'enfance.*

*Pour terminer, en rentrant ce soir, je trouve un message de Madame Dalele sur mon répondeur m'avisant que je n'aurai pas besoin de rentrer lundi prochain et qu'elle me paierait mes deux semaines d'avis que j'ai reçues hier conformément aux exigences des Normes du travail. Elle me demandait aussi de lui remettre les clés de la garderie.*

*Pourtant, quand elle m'a demandé ce matin en prenant l'enveloppe que je lui tendais s'il s'agissait de ma lettre de démission, je lui ai clairement dit non et que je comptais bien travailler les deux prochaines semaines, qui allaient être mes dernières chez vous, comme il avait été convenu hier avec Néhèle et Tanchal. Deux poids, deux mesures. Moi, on peut me démolir et me faire ramper encore deux semaines, écorché vif, en lambeaux, mais mes collègues permanentes, elles, ne peuvent souffrir aucune critique en retour. Je crois qu'il est grand temps que le pouvoir autocratique de ces personnes soit sérieusement remis en cause.*

*David Lasalle*

\* \* \*

*Montréal*
*le 9 juin 1996*

*Madame Bacqueline Déjard*
*Présidente*
*Office des services de garde à l'enfance*

*Madame,*

*Dans sa lettre du 5 juin dernier au Conseil d'administration de la garderie La Verrouilleuse, mon copain David exprimait la ferme intention de vous en transmettre copie conforme.*

*Après mûre réflexion, il a jugé qu'il valait mieux qu'il ne le fasse pas s'il voulait garder encore quelques bonnes chances de continuer à travailler en milieu de garde.*

*En fait, je suis l'auteur de ces lettres que vous trouverez ci-jointes. C'est un service que je rends à l'occasion à des ami(e)s qui ont du mal à s'exprimer sur papier. C'est donc une copie de ces lettres que j'ai conservées en mémoire dans mon ordinateur que je vous fais parvenir.*

*J'espère que mon geste ne portera pas préjudice à David qui ne sait même pas que j'entreprends cette démarche.*

*Si j'ai décidé de porter à votre attention, en catimini, les anomalies dont il m'a fait part, c'est que j'ai été moi-même un enfant battu et abusé, et l'idée que dans un milieu censément professionnel et supposément au service de l'enfance on commette des abus et qu'on ferme les yeux sur d'autres me met hors de moi. Et fait crier très fort tous mes ami(e)s et client(e)s.*

*Tout a commencé le jour où David, après une journée de travail dans une autre garderie que La Verrouilleuse, m'a raconté comment le petit Jean-Philippe était arrivé le matin à la maternelle, la main de son père imprimée sur la joue. D'un coup, j'ai vu le mien lever la chaise de cuisine sur moi et c'est là que j'ai décidé qu'il fallait que je fasse quelque chose. Je ne savais pas quoi et je ne savais pas quand. Mais j'ai commencé à prendre des notes quand David me racontait ses journées dans les différentes garderies où il travaillait, cinq à ce moment-là, quatre maintenant.*

*Puis quand il m'a téléphoné en pleurs pour m'annoncer qu'il était congédié de La Verrouilleuse parce qu'il était trop doux et trop patient avec les enfants — je vous signale qu'il travaillait avec les poupons — et qu'il était trop à leur écoute et trop sensible, j'ai bondi et, le soir même, je l'ai presque forcé à me laisser écrire cette fameuse lettre du 4 juin.*

*Avant-hier, samedi, David m'a expliqué en long et en large pourquoi il valait mieux pour lui de laisser tomber et j'avais décidé de me taire moi aussi quand il s'est mis à me raconter le cas, toujours à La Verrouilleuse, de Yancé qui a une tache rouge vif dans le dos près du cou et que sa mère explique comme étant de l'eczéma. Les deux éducatrices ont un doute sérieux et croient qu'il s'agit plutôt d'une brûlure mais ont décidé de ne rien dire, de fermer les yeux. Comme quand on m'emmenait à l'hôpital et qu'on expliquait mes fractures et commotions cérébrales par une mauvaise chute.*

*La rage que je porte encore aujourd'hui et qui empeste ma vie, c'est celle justement du silence des gens autour de moi à cette époque, mes oncles et mes tantes ainsi que mes professeurs, qui savaient et qui ne disaient rien. C'est cette rage-là qui me fait passer outre David et vous écrire.*

*Si ce n'était qu'à La Verrouilleuse encore. Je ne peux vous donner les noms des autres garderies où David travaille, pas dans cette lettre, parce que je ne veux pas, dans la mesure du possible, lui nuire. Mais je vous les donnerai avec plaisir si vous décidez de mener une petite enquête pour vous assurer du bien-fondé de mes dénonciations.*

*Je continue parce que je veux vous parler aussi de la petite Audrey, dans une autre garderie, couverte de galles qui laissent échapper du pus et pour laquelle on ne fait rien parce que supposément c'est une maladie de peau et qu'il n'y a rien à faire, pas même un onguent ou un pansement pour la soulager un peu. Elle est laissée toute la journée à se bercer seule dans le coin du local des Lionceaux. Vous trouvez ça normal?*

*Je veux vous parler encore de Vicky, une éducatrice qui travaille dans une garderie pour enfants défavorisés au centre-ville et qui dit à la petite Céleste: tu n'as pas voulu parler tout à l'heure, c'est trop tard maintenant, ASSUME TON CHOIX. Céleste est dans le groupe des Tournesols, elle a 4 ans. Pensez-vous vraiment qu'avec une éducatrice de la trempe de Vicky, Céleste a des chances de s'en sortir?*

*Bon, j'arrête. J'ai peur de vous ennuyer. Peut-être avez-vous déjà entendu ces histoires mille fois déjà. Si une vieille éducatrice comme Rollande dit à David qu'il a raison de penser que les garderies ne sont pas faites pour répondre aux besoins des enfants mais à ceux des éducatrices et qu'elle n'est pas la seule à le dire tout haut maintenant qu'elle est à quelques mois de sa retraite, sûrement vous en avez eu des échos vous aussi, jamais je ne croirai.*

*Voilà. J'arrête. Vous faites ce que vous voulez.*

*Charles Burroughs*
*1701, rue Champlain, app. 2*
*Montréal, QC*

Montréal
le 9 juin 1996

Syndicat des travailleuses(eurs)
en garderie de Montréal
CSN


Madame,


Je vous fais parvenir le dossier suivant pour trois raisons principales:

1. porter à votre attention le traitement qui est fait aux éducateurs et éducatrices sur appel et en probation dans les garderies;

2. vous inviter à examiner de très près le professionnalisme des membres que vous défendez si bien et si hautement;

3. vous suggérer de vous pencher sérieusement sur le phénomène de la disproportion d'hommes et de femmes qui travaillent en garderie et de ses ramifications psycho-sociales. David était le seul homme à travailler à La Verrouilleuse, et uniquement 2 jours/semaine. Est-ce normal? Une surabondance d'éducatrices auprès des enfants crée-t-elle un climat vraiment sain?

Enfin, comme Gore Vidal l'écrit si bien dans Matters of Fact and Fiction, il ne faut aucune préparation spéciale ni de formation particulière pour être parent. Vous lirez la suite, c'est très intéressant.

Alors, quand des parents commettent des abus et/ou des sévices sur leurs enfants, on ne peut les excuser mais on peut chercher à comprendre, à expliquer leurs gestes, à en démasquer les causes. Mais dans un milieu supposément professionnel, il n'y a aucune excuse possible à mes yeux.

J'ai longuement cherché à comprendre ce que David me racontait et je suis finalement arrivé à en tirer mes propres conclusions. Si vous étiez intéressée, je me ferais un plaisir de vous en faire part.

Je voulais simplement que vous sachiez que quand dans une garderie en visite au Zoo de Granby, une éducatrice refuse d'emmener une enfant qui lui demande expressément la toilette parce que ce n'est pas SON enfant, i.e. une enfant de son groupe, je me demande si cette éducatrice ne pousse pas un peu loin la défense de ses prérogatives syndicales.

*Il y a de toute évidence dans le milieu où vous œuvrez des lacunes au niveau de la formation et de son suivi, de la supervision, de l'encadrement et du contrôle de vos membres. J'ai mille suggestions.*

*Vous faites comme vous l'entendez.*

*Charles Burroughs*

\* \* \*

*Montréal*
*le 9 juin 1996*

*Madame Mauline Parois*
*Ministre de l'Éducation*
*Montréal, QC*

*Madame,*

*Je transmets à votre attention les documents que vous trouverez sous pli.*

*Au moment où vous entreprenez une importante réforme, peut-être serez-vous intéressée par ce que vous y lirez.*

*Vous savez, quand on entend qu'une éducatrice en est rendue dans une garderie à interdire à ses co-équipières de caresser les enfants agités pour les calmer et les aider à s'endormir à l'heure du dodo d'après-midi, on se demande si on est bien à Montréal en 1997 et non pas à Moscou en 1937, dans une crèche stalinienne.*

*Je crois que c'est ce que vous êtes en train de faire avec les garderies publiques: créer des petits goulags où les enfants sont abandonnés de 7 h du matin à 6 h du soir et laissés à eux-mêmes à la merci de certaines marâtres insensibles qui ont le culot de s'arroger le titre d'éducatrices.*

*Je ne vous blâme pas, ne craignez rien. Peut-être avez-vous raison après tout. Peut-être faut-il montrer aux enfants de plus en plus jeunes que la vie est dure et qu'ils doivent apprendre très tôt à se défendre s'ils veulent survivre.*

*À la fin ultime de ma démarche, je me demande si je n'aurai pas écrit tout ce que j'ai écrit en vain. Parce qu'il y a eu un moment un doute dans mon esprit que les parents de ces enfants savent. Les enfants disent tout ou finissent toujours par tout dire.*

*David et moi refusons de vivre dans une société qui ne réagit pas quand une mère se présente à 7 h moins quart cinq jours par semaine à la porte d'une garderie pour y domper son bébé de trois mois et ne revenir le chercher que le soir à la toute limite de 6 h.*

*Nous avons lu dans* La Presse *qu'en Hollande, il est très mal vu socialement pour des parents de mettre leurs enfants à temps plein en garderie. Il y a un consensus social à cet effet. C'est à ce genre de société que David et moi voulons appartenir.*

*Nous en avons longuement discuté et avons décidé que nous ne voulons plus faire partie à part entière de cet inhumanisme que vous êtes en train de mettre en place.*

*Nous en sommes venus à la conclusion que si une province est divisible, une ville l'est aussi, tout comme un quartier, et pourquoi pas une maison. C'est pourquoi, dès que j'aurai terminé mes ménages de printemps chez mes clientes, David et moi parlerons sérieusement de la logistique de tenir un référendum pour que notre prochain appartement soit reconnu comme territoire néerlandais. Nous avons déjà commencé d'ailleurs à apprendre la langue de notre nouvelle patrie.*

*Dès que j'aurai le temps, j'écrirai à notre nouveau leader de l'opposition à Ottawa, M. Pranning, pour lui demander son aide en ces termes: «If the Canadian Government did it for one queen, Juliana of the Netherlands during WWII, I don't see why it won't do it for two this time around.» Connaissant le penchant qu'a son parti pour les gens de notre orientation, je suis presque sûr que nous obtiendrons son appui.*

*Qu'en pensez-vous?*

*Charles Burroughs*

# Épilogue

Le 15 décembre 1997

Il va falloir éventuellement que je récrive tout, je crois, ou du moins une grande partie parce que je viens juste d'en relire un bout et je ne saute pas au plafond. J'ai fait quelques bourdes épouvantables, dans la concordance des temps, entre autres. C'est toujours ce qui est le plus difficile en français, je trouve, la concordance des temps. Et dans l'emploi des majuscules, aussi, je crois. Il eût fallu que je fusse beaucoup plus vigilant.

Mais je ne dois pas être trop dur avec moi-même quand même. C'était un méchant défi que d'écrire tout ça. J'ai tout fait à la sauvette, pour faire une surprise à David. À la main, dans des petits cahiers à 1 $ de chez Explosion. Chez Mr. Donut, le matin, en prenant mon café et l'après-midi, dans le métro, en finissant de travailler. Et en arrivant à la maison, je me précipitais sur l'ordinateur pour taper ce que je venais d'écrire. J'en ai bavé des bouts et j'espère que c'est ce que je voulais dire que j'ai fini par écrire. Quoiqu'en y jetant un autre coup d'œil rapide, je réalise tout d'un coup que je n'ai pas tout dit justement parce que j'ai oublié d'écrire un chapitre complet pour raconter comment à la fin je les ai toutes dompées, les maudites vaches. Je les ai envoyées chier toute la gang, la F, la G, la MaryRose, les von M, même la femme du vet. Je n'en pouvais plus, ça me rendait tellement malade que j'avais juste le goût de vomir tout le temps et je me réveillais tous les matins avec des migraines épouvantables.

Un jour, en juillet, j'ai dit à David: Pit, je suis plus capable et il m'a répondu: c'est pas grave, vas-y pus, je vais te faire vivre en attendant, tu vas trouver autre chose, tu mérites mieux, mon pitou. Je me souviens que nous étions assis à la table sur la terrasse en train de prendre notre café matinal, il faisait gris et les moumounes d'en haut n'étaient pas descendues dans le jardin. David m'a serré le bras avec sa grosse main chaude abitibienne et je savais que tout allait être correct. C'est pour ça, entre autres aussi, qu'il faut que je révise à partir du début et que je mette tout au passé. Mais je ne me sens pas encore capable de le faire.

J'ai remarqué aussi que je n'ai pas fait de chapitre non plus ni sur B.S., ni sur la femme du vet, ni sur Mme L. Mais il n'y a pas grand-chose à écrire sur elles, en tout cas sur B.S. et la femme du vet. Elles étaient aussi chiantes l'une que l'autre et, chez B.S., en plus, il fallait que je tire tous les meubles chaque fois que j'allais chez elle pour pouvoir passer l'aspirateur derrière et qu'après je les soulève pour bien essuyer les pattes afin qu'il ne reste pas de poussière collée aux feutres qui protégeaient ses planchers. La femme du vet, qui était Néerlandaise comme Mme Z, elle, me faisait passer l'aspirateur, à chacune de mes visites aussi, sur tous les plafonds et les murs de la maison. Plus folle que ça, on t'interne. Pour ce qui est de Mme L, je ne savais pas quoi écrire sur elle.

Mais le pire dans tout ça, c'est que je réalise que j'ai fini par écrire ce que je m'étais juré de ne jamais écrire. C'est ironique. Quand j'ai relu les quelques pages que j'ai eu le courage de relire, je me suis aperçu que je laisse finalement derrière moi le portrait d'un homme qu'on pourrait facilement qualifier de sociopathe, d'obsédé sexuel, à en juger par le nombre de descriptions pornographiques que je fais, et de misogyne, ce qui n'est pas le cas, à moins que je ne me sois toute ma vie vraiment trompé sur mon compte. Pourtant, je ne crois pas. Moi qui avais pensé que si j'allais écrire quelque chose un jour il faudrait absolument que ce soit quelque chose qui fasse de l'homosexualité un portrait sain, équilibré, mature, c'est finalement tout le contraire que j'ai fait. J'en ai presque honte.

Mais de toute manière, tout ça n'a plus d'importance maintenant. David ne lira jamais ce que j'avais écrit pour lui. Le 15 août, à 7 h 30, je me rappelle parce que je commençais à me demander ce qui se passait, j'ai reçu un téléphone d'un policier qui m'a demandé si David habitait bien ici. J'ai dit oui et il m'a demandé: est-ce que je peux parler à son père ou à sa mère, s'il vous plaît? Et j'ai répondu: ils habitent en Abitibi, c'est grave?, mais je le savais déjà depuis le début, et il est resté silencieux et j'ai insisté. Il a été gentil et il m'a dit: il est mort, écrasé par une voiture au coin de Papineau et Ontario, en traversant la rue. Ça vient juste d'arriver, vers 6 h et demie. Juste à deux pas d'ici, et je ne le savais même pas.

J'ai dit à l'agent que j'allais appeler ses parents moi-même et il m'a donné son numéro de téléphone pour qu'ils puissent le rejoindre. En raccrochant, j'ai téléphoné tout de suite à Amos et c'est Mme Lasalle qui m'a répondu. Dès qu'elle m'a reconnu, j'ai juste eu le temps de dire: Bonsoir Mme Lasalle, c'est Charles, l'ami de David, et elle a commencé à hurler: non, non, non, il devait y avoir quelque chose dans ma voix qui m'a trahi, et M. Lasalle est venu au téléphone et je lui ai dit la nouvelle. Pendant que je lui donnais le peu de détails que j'avais, j'entendais en arrière sa mère crier: non, non, non, pas mon bébé. Je lui ai donné le numéro de téléphone de l'agent et il m'a dit qu'il me rappellerait aussitôt. De toute façon, je n'avais droit à rien, je le savais, je l'avais déjà tellement lu partout. Le téléphone a resonné un peu plus tard et M. Lasalle a confirmé ce que le policier m'avait dit et il m'a demandé s'ils pouvaient venir coucher ici. J'ai dit: oui, bien sûr, et il m'a dit: on arrive cette nuit, mon vieux, courage, tu seras pas tout seul. Et vers 3 h du matin ou 4 h, je ne me rappelle plus, ils sont arrivés. Les deux sœurs de David n'étaient pas avec eux.

Le chien, mon petit Max, était dans un état d'atterrement total, il n'a même pas jappé, il savait lui aussi. Quand je l'ai eu, au Parc La Fontaine, juste un an avant que je connaisse David, il avait déjà trois ans. Il m'avait été donné par une copine, mais ce serait trop long à raconter ici. Disons qu'à cause de mon passé, j'ai eu immédiatement avec Max le même comportement que mon père avait eu avec moi. Dieu merci que j'avais eu l'intuition de ne jamais avoir d'enfant. Ce qui fait que, quand David est entré dans nos vies, Max a eu le coup de foudre pour cet être d'une douceur peu commune et m'a complètement laissé tomber. Je ne lui en ai jamais voulu et j'ai continué quand même à l'adorer. Ce qui était fait était fait et je ne pouvais le défaire.

Il y a quatre mois maintenant que David est mort et Max continue de dépérir à vue d'œil. Il ne lui reste plus longtemps à vivre que mon nouveau vet a dit. Il ne mange presque plus et il est toujours couché dans le lit sur les oreillers qui étaient ceux de David, comme s'il attendait pour aller le retrouver. Et moi, en attendant, j'en prends soin le mieux possible. Je me couche à côté de lui et je le flatte, il ne grogne plus, je lui parle et on dort ensemble comme ça.

Le lendemain, les parents ont commencé à tout organiser. Je leur ai dit que David voulait être incinéré, et c'est ce qu'ils ont fait. Mme Lasalle tenait à ce qu'il y ait une messe et ils ont arrangé quelque chose dans une église, mais je n'y suis pas allé. J'ai assisté par exemple à l'incinération et j'ai demandé à voir le corps une dernière fois. Ses parents ne se sont pas objectés, mais ils sont sortis et, quand j'ai été seul, j'ai soulevé le couvercle de la boîte de carton et j'ai mis dans ma mémoire la dernière image que j'ai de lui. Il avait eu le nez cassé et sa joue droite était tout amochée. Je n'ai pas voulu voir le reste. Je l'ai embrassé sur le front comme Jackie l'avait fait à Jack et j'ai refermé le couvercle.

Mme Lasalle m'avait remis juste avant les deux bagues que je lui avais offertes, la première en blague, à notre première Saint-Valentin, comme une bague de fiançailles mais pour homme avec un diamant, et que j'avais eue en solde dans une bijouterie qui fermait sur la rue Mont-Royal, et la deuxième, l'anneau en or 18k de chez Birks que je lui avais donné à notre premier anniversaire parce que je savais que j'allais passer un grand bout de temps de ma vie avec cet homme-là. Je pensais que ça allait être beaucoup plus long que ça par exemple.

Madame Lasalle m'a demandé ce que David avait mentionné qu'il voulait qu'on fasse avec ses cendres et je ne lui ai pas dit la vérité, j'ai juste dit qu'il avait exprimé la volonté que j'en dispose à ma guise. C'est pour ça que j'avais apporté ce matin-là une copie d'un vase chinois bleu et blanc comme ceux qu'il avait adorés quand je les lui avais montrés dans un livre sur le Victoria et Albert Museum, et c'est là-dedans qu'ils me les ont remises. Je les ai ici à la maison, sur la table en bambou, devant mon bouddha. Le moment venu, j'ai laissé les instructions dont j'ai déjà parlé.

Tout de suite après l'incinération, trois jours après l'accident, M. et Mme Lasalle sont retournés à Amos. Je leur avais demandé s'ils voulaient des choses dans l'appartement et Mme Lasalle a dit que si je n'avais pas d'objection, elle aimerait bien emporter avec elle le petit fauteuil berçant en forme de chevaux galopants qu'ils avaient acheté avant la naissance de David – ne sachant pas qu'il ne pourrait jamais l'utiliser –, que j'avais repeint vieil or et que nous utilisions comme cachepot dans la chambre à coucher pour la grosse Giselle. Je le lui ai donné et ils sont partis, ils ne voulaient pas attendre l'enquête du coroner.

Dans l'après-midi, j'avais organisé à mon tour une cérémonie au temple bouddhiste où je vais à l'occasion sur la rue Ontario, plus à l'est, après la rue de Lorimier. C'est le temple de la communauté vietnamienne. Il n'y avait que le moine, moi, les cendres dans l'urne bleue et blanche et Mme L. C'est la seule à qui j'ai téléphoné. Je ne sais pas pourquoi. Je ne l'ai dit à personne encore. Ni à Gérald, ni à Alberto, ni même à Nise qui a laissé à peu près un million de messages sur le répondeur.

En fait, je le sais un peu. De toutes mes clientes, Mme L est la seule que je ne suis pas arrivé à détester. Quand je l'ai laissée tomber comme les autres, parce qu'elle était aussi chiante, je ne l'ai pas envoyée promener, je lui ai menti, je lui ai dit que j'avais un emploi chez Canadian, comme agent de réservations. J'avais lu dans le journal un peu avant qu'ils embauchaient. Même si elle m'avait traité comme les autres, c'était la seule Canadienne française que je n'avais pas remplacée.

Il y avait quelque chose d'elle que j'aimais profondément. Elle était indétestable. Elle me rappelait un peu Fifi, parce qu'elle était elle aussi agoraphobe, elle me l'avait dit, et son frère vivait au Viêt-Nam, marié à une Vietnamienne, et je crois que ça aussi, ça me l'a rendue sympathique.

Avant d'oublier, j'ai fait graver sur le monument funéraire de mon père à Côte-des-Neiges, juste en dessous de son nom et en plus épais: DAVID LASALLE, et en dessous: 1967-1997. Et chaque fois que j'y vais, je ne peux m'empêcher de sourire parce qu'on dirait, si on ne fait pas attention aux dates, que c'est un petit couple gai enterré avec son chat Mimi et son chien Fifi. Et je pense toujours que mon père aurait trouvé ça drôle, parce qu'il avait un sens de l'humour très spécial et que lui, au contraire de ma mère, ça ne l'a pas dérangé que je sois gai. Mais ce serait tout un autre chapitre, et je suis épuisé. Une autre fois, quand j'en aurai la force ou, peut-être, si jamais la police finit par m'arrêter, j'en aurai à ce moment-là tout le loisir en prison. Ce serait drôle, ça ressemblerait à *Kind Hearts and Coronets*, le film avec Alec Guinness. Juste un peu, mais il faudrait tout d'abord que la police trouve ce document, ce dont je doute fort parce qu'il faudrait tout d'abord qu'elle fasse 2+2 et quand on sait qu'elle n'est même pas capable de résoudre de tout petits crimes, je crois que je n'ai aucune crainte à avoir.

M. Lasalle m'avait remis le constat de l'accident. Le policier lui avait raconté que le garçon qui a tué David, un certain Stéphane Deschênes, 751, rue Dollard, Longueuil, Québec, lui avait dit sur les lieux de l'accident: crisse, y avait rien qu'à s'ôter de là, la lumière était verte, ostie. Apparemment, David, avec ses cannes, s'était fait prendre dans le milieu de la rue quand le feu a changé du vert au orange au rouge et était presque arrivé au trottoir quand le garçon lui a foncé dedans à toute allure: pour y faire peur, tabarnac, qu'y s'ôte de là, qu'y se grouille le cul, crisse, je voulais y donner une leçon.

Je n'ai rien dit. J'avais le sang glacé. Un mois et quelques jours plus tard, j'ai composé le numéro de téléphone qu'Alberto m'avait donné et que j'avais conservé caché dans mes papiers. C'était un répondeur et j'ai laissé mes coordonnées. Le lendemain, j'ai reçu un appel qui me donnait rendez-vous au Caffè Italia ce soir-là, à 8 h 30. Je n'avais qu'à demander Guido. Il m'a emmené faire un tour dans sa voiture. Une fois que je lui ai expliqué de quoi il s'agissait, il m'a dit que ce serait 5 000 $. J'ai dit O.K. et il m'a donné rendez-vous dans sa voiture en face du Café Métropole pour le lendemain avec l'argent cash évidemment.

J'ai acheté *Le Journal de Montréal* tous les jours et le 27 septembre 1997, tard dans la nuit, en traversant la rue pour rentrer chez lui, est décédé un garçon de 18 ans, Stéphane Deschênes, heurté à mort par un chauffard qui a pris la fuite sans avoir pu être identifié. La police n'avait aucun indice et demandait l'aide de la population pour retrouver le coupable. Rien sur les lieux de l'accident ne permettait d'identifier la voiture qui avait frappé le jeune homme. Le surlendemain, dans la section nécrologique, il y avait une photo. Pas trop mal. Vivant, il aurait été baisable.

Ç'avait été tellement facile que je n'arrivais pas à le croire.

Au mois d'octobre, j'ai retéléphoné. David m'avait laissé 25 000 $ en assurance-vie que nous avions prise tous les deux quand j'ai vu que c'était du sérieux. J'avais eu le chèque un mois à peu près après l'accident. Et je comptais profiter pleinement de cet argent.

Même scénario, un peu différent, cette fois pour Alice, la vieille crisse d'en haut qui, avant que je ne connaisse David, s'était plaint à la propriétaire parce que quand il entrait dans le building, il lui arrivait de frapper ses cannes contre les murs ou de les échapper par terre et que ça le dérangeait parce qu'il ne pouvait pas supporter le moindre bruit. Et la vieille Crapaud avait téléphoné pour dire à David de faire attention. Cette fois, Alice a été trouvée au petit matin dans une ruelle en arrière du bar où elle allait toujours, le Toréador, la gorge tranchée, les poches vidées. Ni vu ni connu. Je m'attendais à ce que ce soit encore un *hit and run*, mais en y pensant bien, il y a tellement de violence maintenant dans le quartier que c'était plutôt ingénieux.

Un jour que j'avais un cafard énorme, je me suis finalement décidé et j'ai envoyé au Premier Ministre le texte que j'avais déjà écrit aux journaux au sujet de Mme F en ajoutant qu'elle m'avait dit aussi que de toute manière, le président de cette Commission n'était qu'un petit Canadien français mauviette et qu'elle pouvait en faire ce qu'elle voulait. *I have him eating out of my hand*, s'était-elle vantée. Et un autre jour, j'ai fait voler, pour 500 $, les mallettes dans le fond de la garde-robe de M. G et je les ai remises à un journaliste qui avait écrit un livre sur le mensonge en politique.

Maintenant, j'attends. Il reste Céline, mais je la garde pour le dessert. Juste avant de partir. Parce que dès que Max sera mort, au printemps ce sera fait je crois, Mme L et moi partons au Viêt-Nam. Elle a toujours voulu aller rendre visite à son frère et à sa famille, mais elle n'en a jamais eu le courage. Je pense que la mort de David l'a beaucoup secouée. Elle l'avait rencontré à cinq ou six reprises et elle l'avait adoré parce que, à chacune de mes visites, elle me demandait comment il allait et elle me disait comment il avait l'air d'un bon garçon, sans malice, une âme pure, qu'elle avait ajouté même deux ou trois fois. Peut-être que de l'au-delà, s'il existe, David est en train de l'aider à se guérir de cette affreuse affliction, qui sait?

J'ai aussi fait deux autres choses. La première, je me suis remis au piano et je répète tout le répertoire de Billie Holiday. J'ai une voix étonnamment basse et ça fait très Noir, Billy Eckstine presque. C'est très beau. Je souris, ce que je viens d'écrire me fait penser tout d'un coup aux *Nègres blancs d'Amérique* de Pierre Vallières. Et la deuxième, je suis allé voir M. Z qui ne va pas très bien, le remords le gruge, lui, je crois, à moins que ce ne soit une peine d'amour, je ne le lui ai pas demandé, et il m'a fait comme ça quatre chèques de 10 000 $. Un est déjà encaissé, l'autre le sera au mois de janvier, un autre au mois de juin et le dernier en octobre. Je lui ai juste dit, quand je suis arrivé chez lui, que j'avais besoin d'argent et il a sorti son chéquier. Il ne m'a même pas posé de questions et, en partant, il n'a pas essayé non plus d'avoir de sexe avec moi, de toute façon, je n'ai pas recommencé à bander. Il m'a dit que l'an prochain, si j'avais encore besoin, je n'avais qu'à lui faire signe.

C'est avec cet argent que je pars au Viêt-Nam et avec ce qu'il me restera du 25 000 $. J'y vais parce que je n'y suis jamais allé, c'est sûr, et aussi parce que c'est là que mes grands-parents, les parents de ma mère, ont été assassinés, c'était pendant le début des troubles qui allaient mener à Diên Biên Phu. J'ai des adresses que j'avais mémorisées quand mon père me parlait d'eux, ce qui n'était pas fréquent. Je veux aller voir et peut-être que, sur place, sur leur tombe, qui sait, j'arriverai à comprendre pourquoi ma mère ne m'a jamais aimé.

Et Mme L a fait parvenir une de mes cassettes à son frère qui m'a arrangé un *booking* dans un des hôtels de Hô Chi Minh-Ville que je préfère appeler encore Saigon. J'ai déjà acheté un tux blanc.

Une fois que le voyage sera terminé, j'irai vivre à New York. J'ai encore ma carte verte. Je ne reviendrai plus à Montréal. C'est fini maintenant. À New York, je pourrai vivre de jazz et de Billie, je le sais. Ça se sent ces choses-là.

Je n'ai pas envisagé ce que je vais faire du chalet et de nos meubles ici, mais j'ai encore le temps. Dans quelques jours, ce sera Noël. Je ferai un arbre, comme d'habitude, et de la galantine aussi. J'espère que je ne pleurerai pas trop. De toute façon, j'ai eu le temps de réaliser que je pleurais finalement beaucoup plus sur mon sort que sur celui de David.

C'est ironique. Toute ma vie j'ai eu une peur bleue d'être heureux parce que je crois que, pour les gens comme moi, quand le combat est terminé, il n'y a plus de raison d'être ici. Il ne nous reste plus qu'à mourir.

Mais je suis fou d'avoir peur comme ça parce que c'est évident que dans mon cas, ce n'est pas près de m'arriver. Je vais probablement vivre très vieux.

# TABLE

Québec, Canada
1998